Hôtel Princess Azul

**Bordel !
Mais qu'est-ce qui se passe
dans cet hôtel ?**

Guy Saint-Jean Éditeur
3440, boul. Industriel
Laval (Québec) Canada H7L 4R9
450 663-1777
info@saint-jeanediteur.com
www.saint-jeanediteur.com

....

Catalogage avant publication de Bibliothèque et Archives nationales du Québec
et Bibliothèque et Archives Canada

Turenne, Martine, 1964-
Hôtel Princess Azul
ISBN 978-2-89455-694-8 (vol. 1)
I. Titre.
PS8639.U727H67 2013   C843'.6   C2013-941490-8
PS9639.U727H67 2013

....

Nous reconnaissons l'aide financière du gouvernement du Canada par l'entremise du Fonds
du livre du Canada (FLC) ainsi que celle de la SODEC pour nos activités d'édition. Nous
remercions le Conseil des Arts du Canada de l'aide accordée à notre programme de publication.

Canadä   Patrimoine Canadian   SODEC   Conseil des Arts Canada Council
                 canadien Heritage   Québec   du Canada for the Arts

Gouvernement du Québec – Programme de crédit d'impôt pour l'édition de livres – Gestion SODEC

© Guy Saint-Jean Éditeur inc. 2013

Révision : Alexandra Soyeux
Correction d'épreuves : Jacinthe Lesage
Illustration de la page couverture : Lucie Crovatto
Conception graphique et mise en pages : Olivier Lasser et Amélie Barrette

Dépôt légal – Bibliothèque et Archives nationales du Québec, Bibliothèque et Archives
Canada, 2013
ISBN : 978-2-89455-694-8
ISBN ePub : 978-2-89455-695-5
ISBN PDF : 978-2-89455-696-2

Distribution et diffusion
Amérique : Prologue
France : Dilisco S.A./Distribution du Nouveau Monde (pour la littérature)
Belgique : La Caravelle S.A.
Suisse : Transat S.A.

Imprimé et relié au Canada
1re impression, septembre 2013

Guy Saint-Jean Éditeur est membre de l'Association
nationale des éditeurs de livres (ANEL).

MARTINE TURENNE

Hôtel Princess Azul

TOME 1

**Bordel !
Mais qu'est-ce qui se passe
dans cet hôtel ?**

Guy Saint-Jean
ÉDITEUR

Remerciements

Merci à Diane Bérard et à Claude Fortin, qui ont contribué à l'élaboration de l'ancêtre de Geneviève Cabana, un personnage dont les aventures n'ont pas abouti !

Pour les conseils, les infos et l'hospitalité, merci à Marie-France Léger, Tim Lequang, René Lewandowski, Tamara Melnikova et au Dr Benoît Panzini.

Un merci tout particulier à Carine Nahman.

Merci aussi à toute l'équipe très professionnelle et éminemment sympathique de Guy Saint-Jean Éditeur, notamment à Jean Paré, dont l'enthousiasme pour ce projet, dès le départ, a été contagieux.

Dédicace

À Marie, pour la belle folie des Turenne Hôtel…

Dimanche

Lorsque l'alarme de son téléphone retentit dans la nuit, Geneviève Cabana était en train de se battre avec elle-même. Du moins dans son rêve.

Son double refusait méchamment de mettre de la crème hydratante sur son visage. Sa peau craquelait de partout. L'autre elle-même répétait: «Je déteste mettre de la crème» et riait, ce qui accentuait les ravages. Geneviève lui hurlait de mettre de la crème. «C'est MON visage que t'as là! Et arrête de rire comme une débile!»

Il était deux heures du matin. Elle s'était endormie de peine et de misère à vingt heures, sachant que la pire nuit de la semaine commençait pour elle.

Il fallait aller accueillir les nouveaux clients du voyagiste Tour Exotica au petit aéroport de Punta Cana.

Le vol AT632 atterrissait à trois heures, chaque samedi, et déversait les quelque soixante-dix clients dont elle s'occuperait durant la semaine.

Et ça commençait par l'aéroport.

Forcément, c'était un moment désagréable.

Les clients débarquaient de l'avion hagards, épuisés, stressés, généralement de fort mauvaise humeur. Et parfois

7

en état d'ébriété. Peu d'entre eux avaient trouvé le sommeil durant ce vol de quatre heures qui les amenait de Montréal vers la République chaude et ensoleillée où ils passeraient une semaine de rêve dans leur tout-inclus.

À deux heures vingt minutes, vêtue de son uniforme d'agente à destination bleu cobalt, Geneviève était dans le hall de l'hôtel, en compagnie de sa collègue Rosie. Celle-ci prenait en charge l'autre moitié de l'avion, les clients du Tour GoodTrip.

À cette heure-là, le bar de l'hôtel était presque vide. Ceux qui veillaient encore étaient pour la plupart installés devant leur écran de portable.

— T'as pas dormi? demanda Rosie à Geneviève, en la regardant d'un air à la limite du dégoût.

— Si, si, un bon cinq heures...

Devant la mine incrédule de Rosie, Geneviève enchaîna :

— Regarde, j'ai quarante-huit ans, alors ça paraît quand je ne dors pas mon huit heures. Tu verras ça dans quelques années...

— Non, je voulais pas dire ça!

À l'aéroport, elles arrivèrent à temps pour assister au départ des clients de la semaine. Un groupe passablement compliqué que Geneviève ne souhaitait pas croiser de nouveau. Elle craignait d'entendre le dentiste de Châteauguay lui exposer avec moult détails l'étendue de ses problèmes de digestion.

— Je me sens mal depuis que je suis allé au resto fusion japonais. Les sushis sentaient la pisse de chien, avait-il répété plusieurs fois.

Le restaurant japonais était le plus couru du Princess Azul, propriété quatre étoiles de la chaîne espagnole

CostaStellar. Il fallait réserver tôt dans la semaine pour y trouver une place.

Soudain, Geneviève entendit des cris et des pleurs qui provenaient de l'extrémité ouest du petit aéroport. Elle reconnut au loin le couple Laverdière-Pizzelli, qui avait connu une semaine sans histoire. Elle se précipita, inquiète, pour connaître la cause de leur détresse.

L'homme et la femme faisaient face aux restes de ce qui semblait être une valise, éventrée et fumante. Des policiers les entouraient. L'un d'eux tenait un berger allemand, passablement excité, en laisse. Un autre était penché sur le tas de détritus et le balayait d'un appareil qui émettait des sons étranges.

— Que se passe-t-il, Madame Pizzelli?

La femme, dans la quarantaine, les cheveux courts et hirsutes, sanglotait bruyamment.

— Ah! Mon dieu, Geneviève... La police a fait exploser notre valise! J'y avais tous mes souvenirs. Des poteries, des nappes... Et tous mes vêtements, mes maillots de bain Shan... Deux maillots à trois cents dollars! Tout a explosé, regardez par vous-même.

Sur ce, elle se remit à pleurer, tandis que son mari se balançait d'avant en arrière, visiblement en état de choc.

«En effet, pourquoi avoir fait exploser cette valise?» se demanda Geneviève.

Un policier portant le nom de R. Ezbequiel accroché sur son torse s'approcha de la représentante.

— Nous avons eu un petit problème...

R. Ezbequiel expliqua que la valise, d'un poids anormalement élevé, avait traîné une bonne heure dans le hall sans sembler appartenir à personne. Des appels dans le haut-parleur étaient restés sans suite. Il a fallu agir.

—Ma clientèle ne parle pas toujours espagnol, Monsieur Ezbequiel. Le couple n'a sans doute pas compris que vous cherchiez les propriétaires de cette valise. Vous aviez abandonné votre valise? demanda Geneviève en se tournant vers le couple.

—Le temps d'aller prendre une bouchée, c'est tout, répondit monsieur Laverdière. On nous a conduits ici avec quatre heures d'avance! Il fallait bien s'occuper. On meurt de chaleur, en plus. Mais en revenant du casse-croûte, on a vu des policiers qui entouraient la valise, et tout à coup, boom! Boom! Boom!

L'homme imitait le bruit d'une explosion, et sa femme se remit à pleurer de plus belle.

Le policier Ezbequiel poursuivit ses explications.

—Ce n'est pas tout. Non seulement la valise était lourde et abandonnée, mais notre chien détecteur d'explosifs, Chorizo, s'est affolé en l'approchant.

Geneviève regarda le chien, qui semblait toujours dans un état proche de l'hystérie.

—Ce qui veut dire? demanda Geneviève.

—Qu'il peut s'agir d'un colis piégé. Nos consignes sont claires, Madame. On doit faire sauter un colis dès qu'il y a un doute. Vous ne voudriez pas qu'on soit accusés de négligence, n'est-ce pas?

Geneviève acquiesça.

—Évidemment non… Mais il y avait des trucs suspects dans cette valise?

—Heureusement non! Fausse alerte.

À ces mots, Chorizo s'effondra au pied de son maître en émettant un petit gémissement, visiblement épuisé par tant d'efforts.

Des préposés au nettoyage s'affairaient maintenant à ramasser les restes de la valise.

— Ce chien est sur l'acide, ce n'est pas la première fois que ça arrive, dit Rosie lorsque Geneviève alla la rejoindre dans la section des départs et arrivées.

— Il a vraiment des problèmes entre ses deux oreilles, poursuivit-elle. L'autre jour, il a sauté à la gorge d'un de mes clients. Les policiers l'ont menotté devant sa famille, et ils l'ont fait déshabiller et fouiller au complet, avant de s'apercevoir que ce que le chien avait pris pour une bombe était en fait un paquet de cigarettes. OK, de mauvaise qualité, mais de là à prendre ça pour des explosifs! Il est taré, le cabot...

Au loin, Chorizo, toujours affalé au pied du policier qui le tenait en laisse, semblait maintenant dormir. Il avait de petits spasmes. Rêvait-il à son jour de gloire, lorsqu'il détecterait de vrais explosifs?

Geneviève assista alors à une scène devenue un rituel depuis son arrivée un mois plus tôt: les adieux déchirants d'une touriste à Gonzalo Resurrección, dit Gonzo, l'un des animateurs de la piscine, don Juan de vocation.

Cette semaine, il avait notamment jeté son dévolu sur une brunette prénommée Christelle, esthéticienne à Sainte-Rose, Laval. «Notamment», car il avait en général deux ou trois filles de toutes les origines sur le gril. Il faisait éclater les frontières, dans tous les sens du terme.

Cheveux longs et bouclés savamment décoiffés, d'un châtain-blond tirant sur le vert en raison d'une surdose de chlore, yeux de braise, sourire éclatant, teint perpétuellement bronzé et muscles d'adonis, Gonzo était le prototype parfait du gigolo du Sud. Toutes les femmes un tant soit peu seules ou en quête d'une aventure s'en amourachaient. Les autres l'admiraient, impuissantes, avec des yeux de velours. Il en profitait pleinement, à peine ennuyé par ce qu'il appelait les « retours », ces filles qui revenaient au Princess Azul quelques semaines, voire des mois après leur premier séjour. Elles espéraient continuer ce qu'elles croyaient être les débuts prometteurs d'une véritable histoire d'amour. Il n'y avait en général qu'un seul retour, Gonzo faisant comprendre aux pauvres filles que sa capacité d'attachement sentimental frôlait zéro. Il s'arrangeait pour se faire surprendre en train d'embrasser ou d'enlacer une des filles de la semaine, et le tour était joué.

« Les femmes, c'est comme des étoiles. Plus il y en a dans le ciel, plus ça annonce du beau temps pour le lendemain », avait-il dit un jour à Geneviève, qu'il appelait l'Abuela, la grand-mère, en raison de son âge qu'il jugeait passablement avancé. Et de son incapacité non seulement à prononcer son prénom, mais aussi à comprendre comment des sons pareils pouvaient coexister.

Vingt minutes après l'arrivée, les portes s'ouvrirent sur une centaine de voyageurs hagards, visiblement épuisés et évidemment de mauvaise humeur.

Elle récupéra son groupe et le fit entrer dans l'autobus, conduit cette nuit par Jorge, qui avait plusieurs verres de tequila dans le corps. On le savait parce qu'il se mettait à chantonner. Et comme il n'avait pas exactement la voix de Julio Iglesias, son idole, cela accentuait la mauvaise humeur de certains passagers.

Un premier drame avait eu lieu : un groupe de six femmes venues célébrer ensemble leur quarantième anniversaire avait été séparé en deux hôtels. Le Playa Grand Sunset avait une fois de plus sur-réservé, et le Princess Azul avait hérité de deux des filles, visiblement en état de choc. L'une d'elles sanglotait sur le siège du bus, tandis que sa copine, une dénommée Mélanie, lançait des jurons à tout venant.

— On va vous arranger ça demain matin, leur dit Geneviève. Mais vous avez de la chance : vous êtes dans un quatre étoiles, alors que vous avez réservé dans un trois étoiles. Vous verrez la différence. Vous dormirez comme des bébés.

— On s'en crisse de la différence, on veut être avec nos chums de filles, on est venue icitte pour ça !

Contrairement à son habitude, Gonzo n'était pas monté avec Geneviève, préférant le groupe de Rosie, dont il appréciait moins la clientèle, d'ordinaire plus âgée. L'arrivée du AT632 clôturait sa soirée d'adieux, qu'il s'imposait un week-end sur deux, dépendant des récoltes de sa semaine. La démarche lui permettait aussi de faire un rapide monitorage de futures « prospects ».

Devant l'air étonné de Geneviève, Rosie lui avait dit :

— Il est un peu embêté… Une fille de ton groupe en est à son deuxième retour, et c'est plutôt inhabituel. Surtout que la dernière fois, il m'a dit qu'il s'était arrangé pour se faire surprendre en train de baiser une femme de chambre. Comme message, ça ne peut être plus clair. Il ne comprend pas pourquoi elle revient.

Rosie lui avait pointé une femme dans la mi-trentaine, grande et mince, au visage plutôt ingrat, et affublée d'une dentition extrêmement dense.

— Il préfère l'éviter, tu comprends…

— Au fait, quel est le verdict du pilote ? demanda Geneviève en changeant de sujet.

— Applaudissements modérés…

Chaque semaine, Rosie demandait au pilote du AT632 quel avait été le niveau sonore des applaudissements reçus à l'atterrissage. À partir de cette simple information, il était possible d'extrapoler le degré d'enthousiasme de la nouvelle clientèle. Un indice faible signifiait un groupe blasé, limite snob, en général compliqué. À l'inverse, un indice élevé correspondait à un groupe pas trop critique, quoique imprévisible, répétait souvent Rosie. Un indice modéré était un signe d'hétérogénéité ; il y aurait donc de tout cette semaine-là.

Il était cinq heures lorsque Geneviève put enfin regagner son lit. Il y avait eu les habituelles déceptions («On a demandé une chambre avec vue sur la mer»), les interrogations («Pourquoi ça sent le désinfectant? Est-ce que c'est cancérigène?», «Quel est le mot de passe pour le wifi?») et l'inévitable commentaire :

— Pourquoi elle parle pas français, la femme à la réception?

— Euh, peut-être parce que vous êtes en République dominicaine?

Elle s'endormit rapidement et se réveilla lorsque son iPhone retentit de nouveau, à neuf heures.

Groggy et de mauvaise humeur. Elle avait encore rêvé à Sylvain Lemieux… Cette fois, ce n'était pas elle qui l'injuriait, mais plutôt lui qui la séquestrait. Elle était recroquevillée dans un genre de garde-robe rempli de jupes paysannes, et il lui jetait des tonnes de papiers par la tête. Elle pouvait y voir des dessins du test de Rorschach. Incroyable, car elle ne lui avait jamais fait passer ce test. Elle n'y avait jamais cru, même si elle avait passé des heures à en étudier les significations lors de sa longue formation en psychologie.

Quand cesserait-elle de penser à Sylvain Lemieux? Peut-être seulement lorsqu'elle retournerait à sa profession de psychologue, dans deux ans.

Deux ans... Geneviève ne pouvait croire que ce serait si long, mais le comité de discipline de l'Ordre professionnel des psychologues en avait décidé ainsi. Geneviève Cabana, psychologue clinicienne réputée comptant vingt-cinq ans d'expérience, avait été reconnue coupable d'avoir «injurié, intimidé et molesté un client, monsieur Sylvain Lemieux». Il en avait gardé des séquelles psychologiques. Il avait dû s'absenter plusieurs mois de son travail chez Hallmark, où il se spécialisait dans la rédaction de cartes de condoléances.

Deux ans pour ça? Pour avoir perdu les pédales une seule fois au cours de cette carrière si exigeante? Elle avait mis ses confrères du Comité de discipline au défi:

— Rencontrez Sylvain Lemieux chaque semaine pendant deux ans, et oui, vous finirez par lui lancer des injures par la tête. C'est un être mou, mélancolique et insupportable. Il radote inlassablement les mêmes rengaines sur sa méchante maman et son papa autoritaire, et régresse au lieu de faire des progrès.

— Mais pourquoi lui avoir lancé vos diplômes par la tête? Encadrés en bois de rose, par-dessus le marché, ce qui lui avait occasionné des ecchymoses sur le torse?

Il n'y avait effectivement pas d'excuses à ça.

Lorsqu'elle descendit vers neuf heures trente, Geneviève croisa dans le hall de l'hôtel ses collègues britanniques, italiens et espagnols qui allaient chercher leurs ouailles à l'aéroport. Les touristes européens arrivaient à Punta Cana à des heures beaucoup plus civilisées que les nord-américains.

La première séance d'information était à dix heures dans une petite salle de l'hôtel qui s'ouvrait sur un luxuriant jardin. Il s'agissait d'imprégner les touristes dès leur arrivée de la beauté des lieux. Geneviève organisait toujours une deuxième séance autour de midi, pour ceux qui récupéraient plus lentement de leur nuit écourtée.

Il lui fallait répéter sa litanie, soit le nombre incroyable d'activités offertes sur le site, du ping pong à la plongée en apnée, en passant par le yoga, le catamaran, l'initiation à la méditation ou les ateliers de poterie taïnos, l'ethnie autochtone plus ou moins exterminée qui vivait sur l'île avant la colonisation espagnole. Un pseudodescendant taïno – dans les faits un type importé du Yucatan – venait même raconter une légende, plutôt sordide au demeurant, vêtu d'un pagne rustique.

Il y avait aussi les sorties à la carte comme le safari en jeep, la tyrolienne, la nage avec les dauphins au Marati Park, ou encore le spa maritime du DocteurFish. Sa célèbre exfoliation comblait de joie les vacancières.

Chaque fois, le groupe se scindait tout naturellement en deux : les pros du tout-compris qui en connaissaient les mécanismes et les codes. Et les néophytes qui ne comprenaient pas pourquoi il fallait réserver son resto le soir si on ne voulait pas se contenter d'un repas au buffet.

— Là, je suis en vacances... Je veux pas planifier. Si d'un coup, je décide là, là, d'aller faire du catamaran, pis là, là, de manger du japonais ou du français, je peux pas le faire, c'est ça que vous me dites ?

— Vous pourrez le faire s'il y a de la place, évidemment. Mais le Princess Azul compte trois cent vingt chambres, alors ça fait pas mal de monde. D'où l'utilité de réserver vos activités. Nous sommes justement là pour ça.

Dans le lot, il y avait toujours ceux qu'elle appelait les «insécures», des hommes ou des femmes angoissés à l'idée de manquer quelque chose et qui s'inscrivaient frénétiquement à toutes les activités possibles. Ils se mettaient à angoisser vers le milieu de leur semaine, lorsqu'ils réalisaient qu'ils ne pourraient pas tout faire. Certains terminaient leur séjour déprimés, tenaillés par un sentiment d'échec.

Il y avait aussi les pseudo-aventuriers, ceux qui avaient daigné réserver dans un tout-inclus, mais méprisaient le genre et voulaient le quitter sitôt arrivés. Chaque fois, le prix prohibitif des activités extérieures les rebutait.

— On est dans un pays du tiers-monde, pis ça me coûte deux cents piasses pour un taxi aller-retour jusqu'à la capitale?

Et oui, c'était ça, la réalité des tout-inclus. Sortez de votre petit paradis, et ça vous coûtera la peau des fesses.

L'hôtel mettait en garde les clients, des jeunes surtout, lorsqu'ils souhaitaient faire du pouce jusqu'à la capitale afin d'éviter l'escroquerie des chauffeurs de taxi. On était toujours sans nouvelles d'un couple d'Australiens partis de cette manière deux ans plus tôt. Disparus sans laisser de trace.

À midi trente, quatre femmes se pointèrent à son petit bureau du rez-de-chaussée de l'hôtel. Elles étaient accompagnées d'Hugo, un colosse de six pieds six, l'un des gardiens de sécurité du Princess Azul.

— Elles disent... amies... canadiennes... pour toi, lui dit-il dans son espagnol à moitié compréhensible pour Geneviève, qui avait de la difficulté avec son accent.

Elle comprit qu'il s'agissait des quatre quadragénaires qui cherchaient leurs deux amies restantes.

— Notre hôtel a de la place pour elles, lui dit une femme qui se présenta comme Mélanie Deux.

— Deux?

— Nous sommes trois Mélanie sur six dans le groupe. Je suis numéro Deux. Nous cherchons Mélanie Trois et Stéphanie. Elles ont dormi ici.

— Oui, oui, je m'en souviens... Elles sont dans la chambre... attendez... la chambre 322, aile B, c'est le bâtiment le plus à l'ouest du complexe.

— C'est beau, ici! s'exclama une des quatre femmes, qui roulait des yeux en regardant le somptueux hall d'entrée, où dominait une fontaine ornée d'angelots et quantité d'hibiscus en fleurs.

Elle avait bien raison: comparé au luxe et au bon goût du Princess Azul, le Playa Grand Sunset n'avait rien de grand, et son rapide coucher de soleil était obstrué par une colline. Quant à sa *playa,* c'était la moins belle du coin.

— Mélanie Un, lui dit la femme en lui tendant la main.

— Enchantée, Mélanie... Mesdames, la réception va laisser une note dans la chambre de vos amies pour leur indiquer qu'elles ont une place à votre hôtel. On fera leur transfert dès qu'elles le souhaiteront.

— Dites-leur que Mélane a déjà trouvé son Pedrito, elles vont comprendre! lui dit Mélanie Deux, ce qui fit rire aux éclats ses amies.

Les quatre femmes quittèrent le bureau, escortées par Hugo. Il se faisait intensément toiser par Mélanie Un, ainsi que par la quatrième amie au prénom inconnu.

Le reste de l'après-midi fut tranquille, anormalement tranquille pour un dimanche suivant une arrivée. Ce nouveau groupe serait-il enfin «normal», c'est-à-dire composé de touristes pas trop névrosés, exigeants ou anxieux?

Geneviève Cabana se le souhaitait bien.

Il n'y avait qu'une piscine au Princess Azul, mais quelle piscine! Immense, divisée en sous-sections comprenant des bains tourbillons, une barboteuse avec des glissades et des jeux d'eau, une zone en eau profonde, un bar flottant, des oasis de verdure et des plongeons olympiens, elle avait fière allure. C'était le domaine de Gonzalo Resurrección.

Il était d'ailleurs en pleine action lorsque Geneviève traversa la zone du bassin pour retourner à son studio: penché sur une jolie blonde dans la vingtaine, il lui montrait comment bien installer son tube de plongée. Les deux riaient à gorge déployée. Les cheveux ondulés de Gonzo tombaient négligemment dans le décolleté de la jeune femme, une Scandinave si on se fiait à son accent en anglais.

Sur une chaise longue, étendue, elle reconnut la Québécoise aux innombrables dents aperçue la veille dans le bus, «Deuxième Retour». La peau déjà rougie par le soleil, elle faisait semblant de lire son *Châtelaine,* tout en dévisageant ardemment Gonzo.

— Étrange femme, se dit Geneviève en montant l'escalier qui menait à son petit deux-pièces.

L'appartement prêté par Tour Exotica à ses agents à destination était petit, mais confortable et très lumineux. Il fallait garder les volets clos durant la journée pour éviter qu'il se transforme en sauna. Contrairement à celui de sa collègue Rosie, qui donnait sur les jardins, le sien avait une vue sur la mer des Caraïbes. Un spectacle dont Geneviève ne se lassait pas.

La cuisinette, minuscule, ne comprenait qu'un frigo essentiellement rempli de bières et de bouteilles de vin blanc et rosé, ainsi que de limes et de citrons. Les agrumes servaient à purifier son foie et à faciliter sa digestion, le lendemain d'abus. Il y avait une plaque à cuisson au cas où Geneviève songerait à se faire à manger, ce qui n'arrivait jamais, puisque le Princess Azul nourrissait ses employés. Pratique, quand même, pour se préparer un café ou infuser un thé.

Si ce n'avait été de son travail, elle se serait sentie comme en vacances ici! Même le ménage était fait. Le coin-salon était composé d'un divan confortable et d'une télé à écran plat qui captait toutes les chaînes de cette planète, dont la RAI. La télé italienne réconfortait Geneviève avec ses jeux télévisés débiles lorsqu'elle avait les bleus.

À son grand étonnement, elle n'avait cependant eu que très peu d'épisodes nostalgiques depuis son arrivée, six semaines plus tôt.

Il y avait tout de même eu les déchirants au revoir aux jumeaux, aux deux chats persans, aux amis... Son nouveau choix de «carrière» ne faisait pas l'unanimité. Mais Geneviève tenait à disparaître momentanément du Québec. Un chroniqueur très en vue avait publicisé son agression sur Sylvain Lemieux. Dans un article, il se demandait comment des professionnels pouvaient ainsi perdre les pédales «et compromettre la sécurité du public». La psychologue Geneviève Cabana était mise dans le même bain que deux de ses confrères accusés de rapports sexuels inappropriés avec des clientes, d'un hypnotiste qui n'avait jamais pu ramener un patient à la réalité, et d'un autre accusé de bestialité avec le chien d'une cliente.

Comment ce journaliste avait-il pu confondre toutes ces histoires dans un grand magma intitulé «Les psys, plus fous que leurs patients»?

Heureusement que les enfants avaient promis de venir lui rendre visite à l'automne. Anne viendrait assurément, elle était économe, mais Balthazar? Comment pourrait-il se payer un voyage en République dominicaine? Il avait hérité de l'extrême nonchalance de son père, et comme lui se prétendait un artiste incompris. Déjà! Il venait d'être refusé en arts visuels à l'Université Concordia et s'était rabattu sur un bac en théologie, «en attendant». Sa seule chance serait qu'il fasse comme son père et trouve une femme professionnelle prête à le faire vivre. Son charme aiderait, évidemment.

Installée sur sa petite terrasse, qui offrait une vue spectaculaire du coucher de soleil, elle ouvrit l'application Skype sur son portable. À cette heure-ci, un dimanche, sa fille devait être en train d'étudier à la maison. Elle était tellement perfectionniste…

Anne apparut rapidement sur l'écran.

— Maman! Regarde qui est avec moi!

La jeune femme pressait la tête de Solange, la chatte persane au poil gris, sur l'écran d'ordinateur.

Geneviève remarqua que l'animal avait pris du poids. La chatte était devenue obèse.

— Qu'est-ce qui se passe avec Solange? Elle me semble énorme! Est-ce qu'elle mange ses émotions? Elle a fait ça lorsque j'ai assisté à mon dernier colloque à Las Vegas…

Anne lui expliqua qu'avec ses deux colocs, les portions de nourriture pour les chats étaient moins rigoureuses. Peut-être les surnourrissaient-elles?

— Où est Jean-Guy?

— Caché sous mon lit. Il déprime depuis ton départ. Je retrouve des boules de poils régurgitées dans toute la maison. Encore ce matin, sur ton couvre-lit.

Geneviève se sentit soudain bien loin. Une chatte obèse, un autre neurasthénique… Mais sa fille semblait en pleine forme. Elle avait noué ses longs cheveux châtain clair en chignon, ce qui lui donnait un petit air intello avec ses lunettes.

— Comment va ton frère?

— Balto est toujours chez papa. Je ne pensais pas qu'ils allaient s'endurer bien longtemps. Mais ils s'entendent comme larrons en foire, apparemment.

Geneviève eut une vision de son ex-mari, entouré de ses sombres tableaux pour la plupart inachevés, de papiers épars sur lesquels étaient gribouillés ses derniers vers, et de son propre fils, les mains maculées de peinture, en train de tenter de peindre des œuvres semi-abstraites, son dernier dada.

— Je vais tenter de *skyper* Balthazar demain pour prendre de ses nouvelles. Si seulement il pouvait être devant son portable!

Elle était la seule à appeler son fils par son véritable prénom, le reste de l'humanité l'appelant Balto. Petit, il avait vu le film mettant en vedette Balto, le chien-loup d'Alaska. Pendant une heure trente, Balto affrontait le froid, le blizzard et les plans diaboliques d'un chien maléfique, dans l'espoir d'aller chercher des médicaments pour sauver les enfants malades de son village. Son courage – et son imprudence, s'était toujours dit Geneviève, qui avait vu le film un nombre incalculable de fois – lui permettait de passer à travers toutes les épreuves. Depuis, Balthazar n'avait plus répondu qu'à ce diminutif canin.

Une fois que sa fille lui eut répété à plusieurs reprises que tout allait bien, elle ferma Skype, se servit un verre de blanc bien frais, se fit couler un bain moussant et alluma la télé sur la chaîne italienne. On y rediffusait un match de soccer, et le commentateur était déchaîné. Trop pour relaxer dans un bain. Elle mit CNN.

Vers vingt et une heures, alors qu'elle dégustait des quesadillas qu'elle était allée chercher aux cuisines de l'hôtel, son cellulaire sonna.

C'était son père.

— Papa? Comment vas-tu?

Marcel Cabana était fébrile. Quelqu'un dans sa résidence, Le Crépuscule bienveillant, lui avait volé son dentier, expliquait-il péniblement à sa fille, car il avalait ses mots. Il soupçonnait une femme atteinte d'un début d'Alzheimer, qui injuriait tout le monde et ne se lavait plus, d'être l'auteure du crime.

— À tout événement, je n'ai plus de dents!

Si ce n'était pas la «vieille folle» qui le lui avait piqué, il soupçonnait le nouveau liquide nettoyant qu'il utilisait d'avoir dissous son dentier.

— Le nouveau produit que j'ai essayé est très corrosif. Ça faisait «pshooouuu» quand j'y ai mis le dentier, dit son père. J'ai jamais entendu ça en cinquante années passées dans ma quincaillerie.

— As-tu parlé aux préposés? Peut-être l'as-tu juste égaré? Est-ce que Luc est au courant?

— Ton frère a des problèmes plus importants...

— Ah bon? Lesquels?

23

—T'as pas entendu parler du protocole de Tokyo?

Geneviève craignit un instant que son père soit en train de perdre l'esprit.

—Pas de Tokyo, se reprit-il. De Kyoto. Le protocole de Kyoto.

—Luc a des problèmes avec le protocole de Kyoto? demanda doucement Geneviève, comme si elle parlait à un très jeune enfant déraisonnable.

—Oui, il va perdre tous ses clients! Plus personne ne peut avoir des cheminées chez eux! C'est défendu par Kyoto! Y va quand même pas ramoner des cheminées pour des foyers au gaz naturel!

Luc était ramoneur, et sa petite entreprise, Au doux foyer, était plutôt florissante. Geneviève se souvenait vaguement de l'avoir entendu se plaindre des nouvelles législations de la Ville de Montréal concernant les foyers au bois. Mais elle n'y avait pas trop prêté attention.

—Mais, papa, Luc ne va pas perdre ses clients du jour au lendemain. Il n'en aura seulement plus de nouveaux. Il voulait ralentir, de toute façon, non?

—Il voulait léguer Au doux foyer à son fils. Il l'avait même fait ajouter à son nom.

—Mathis-Olivier a onze ans! Il a bien le temps de voir venir les choses… Écoute, papa, je vais envoyer un message à Luc pour qu'il s'occupe du dentier. Tu comprends que d'ici, je ne peux pas faire grand-chose.

En raccrochant, elle se sentit vaguement coupable. De tous les êtres chers laissés en rade à Montréal, son vieux père était de loin le plus vulnérable.

Elle alla droit au lit, complètement épuisée par sa précédente nuit écourtée.

Lundi

— On serre ses ischions… On contracte le plancher pelvien…

Dieu merci, Priscilla, la professeure de pilates du Princess Azul, était traductrice dans une autre vie et maîtrisait plusieurs langues.

Mais même en français, Geneviève avait beaucoup de difficultés à comprendre les complexes mouvements imaginés par Joseph Pilates. Le concept de respiration un poumon à la fois lui échappait totalement. Et elle ignorait ce qu'étaient des ischions.

Le reste du petit groupe, composé essentiellement de femmes, semblait tout aussi désemparé qu'elle.

Geneviève se demandait par ailleurs si ces exercices, si exigeants pour la région de l'abdomen, n'allaient pas faire exploser de nouveau son nombril.

Un an plus tôt, elle avait subi une petite chirurgie pour faire disparaître une hernie ombilicale. L'organe était sorti de sa cavité habituelle lors d'un voyage en Italie, au cours duquel elle assistait à un colloque sur la psychologie post-cognitive. L'incident anatomique s'était produit après que Geneviève eut traîné, à travers plusieurs gares et stations de métro, une valise alourdie par une multitude de vases et de bibelots achetés au fil du voyage. Le poids avait été fatal pour son nombril.

Inquiète, elle décida de ne faire les exercices qu'à moitié et de ne serrer les ischions que si nécessaire.

La chaleur était déjà intense, même s'il n'était que huit heures du matin. La pluie brève et intense qui était tombée au milieu de la nuit n'avait pas réussi à rafraîchir l'atmosphère. Ni à faire tomber l'humidité, accablante.

Dès que le cours fut terminé, Geneviève alla plonger dans les eaux chlorées de la piscine surdimensionnée, quasi déserte à cette heure-là. Et totalement silencieuse.

C'était quand même un indéniable avantage de son nouvel emploi. Elle avait le gym à demeure.

Il lui permettait de garder la forme et ses formes. Car la quantité de nourriture disponible à l'hôtel, en tout temps, sans avoir à faire l'effort d'aller l'acheter au supermarché, représentait un réel danger.

Elle se pesait une fois par semaine. S'observait quotidiennement dans la glace : est-ce qu'on voyait bien ses lobes d'oreilles ou disparaissaient-ils derrière ses joues, un signe que son visage s'arrondissait dangereusement? Elle avait vécu ce phénomène lors de la grossesse des jumeaux, mais bon, ça faisait déjà vingt-deux ans…

Après s'être douchée et vêtue d'un bermuda et d'une chemisette beige, Geneviève sortit déjeuner. La lumière du matin était aveuglante. C'était ce qui l'avait le plus surprise lors de son arrivée à Punta Cana. La lumière. Intense et brutale.

Elle traversa les magnifiques jardins du Princess Azul, avec leurs hibiscus et leurs rosiers en fleurs, leurs cocotiers, leurs bananiers, leurs manguiers et leurs pins géants. Des odeurs de toutes sortes pimentaient l'air saturé, sans que Geneviève arrive à les identifier; elle était nulle côté odorat. Elle avait tenté maintes fois de prendre des cours de dégustation de vin, sans succès. Ça allait pour déterminer la couleur des robes, les textures, mais quand venait le temps de donner des qualificatifs aux odeurs qui émanaient du divin nectar, Geneviève échouait à tout coup.

Elle croisa les vendeurs d'objets artisanaux qui avaient pignon sur rue dans le Princess Azul. Francisco était en train de déballer ses bijoux.

— Une nouvelle collection, tu veux la voir? lui demanda-t-il en montrant des bracelets et des colliers faits de grosses pierres rougeâtres.

— C'est pas du larimar? demanda Geneviève. Tu vas mélanger ta clientèle, Francisco.

Le larimar, une pierre aux multiples teintes bleutées, était très recherché par les touristes. On n'en trouvait qu'en République dominicaine et en Italie. Plus la variété était foncée, plus elle acquérait de la valeur.

— Ça fait un quart de siècle que je vends du larimar, Rhénébièbé, j'ai voulu changer, dit-il en prononçant à la manière locale le prénom de la psy.

Geneviève se demanda, un petit pincement au cœur, si le changement était heureux. Francisco vendrait-il ces gros bijoux rouges? Il avait une famille à faire vivre.

Elle traversa à nouveau l'hôtel par l'enceinte de la piscine, plus animée qu'une heure plus tôt, pour se diriger vers la salle à manger. Les haut-parleurs crachaient de la musique pop-latino. Le son était encore faible. Il augmenterait tout au long de la journée, pour atteindre son apogée à l'heure de l'apéro.

Geneviève remarqua Gonzo, assis en compagnie d'une douzaine de femmes de tous les âges. Il leur faisait réciter les nombres en espagnol. *Uno, dos, tres, quatro, cinco...* On entendait des éclats de rire.

La professeure d'espagnol du complexe, Rebecca, était sans doute absente pour la journée. Une situation qui se répétait souvent, en raison d'obligations familiales aussi nombreuses que variées. Il y avait aussi le trajet entre sa maison, située à Friusa, dans les terres, et le Princess Azul. Il semblait semé d'embûches de toutes sortes.

Assise sur une chaise longue, dans la même position que la veille, Geneviève reconnut Deuxième Retour. Une fois de plus, la femme mince et longiligne faisait semblant de lire un magazine, toujours le même numéro de *Châtelaine*. Elle regardait à la dérobée Gonzo de ses immenses yeux bruns globuleux.

«Brrr», se dit Geneviève. «Cette femme me donne froid dans le dos.» Elle ne pouvait croire que Gonzo l'avait déjà séduite. Il y avait des limites à vouloir assouvir ses besoins.

Après s'être servi son déjeuner au buffet, Geneviève s'assit à une table un peu en retrait. Elle avait mis un énorme chapeau et d'imposantes lunettes de soleil, histoire de ne pas être dérangée par ses clients. Après tout, elle ne commençait son quart de travail qu'à neuf heures.

Elle se plongea dans son livre du moment, un *thriller* islandais très sombre, lorsqu'elle entendit le désormais familier «C'tu elle?». Cela signifiait qu'elle avait été repérée.

Aussitôt, une ombre se profila au-dessus de sa tête.

— Excusez-moi de vous déranger, Madame... J'ai assisté à la réunion, hier, et j'aurais une petite question.

Un homme dans la quarantaine, grand et corpulent, aux cheveux bruns clairsemés, se tenait devant elle.

Sans qu'elle l'y invite, il s'assit sur la chaise qui lui faisait face.

— C'est un peu délicat.

— De quoi s'agit-il? demanda Geneviève.

Elle s'attendait à l'habituelle diarrhée des premiers jours, et se dit que cela aurait quand même pu attendre après son déjeuner. Mais il ne s'agissait pas de cela.

— On m'a dit qu'il y avait un sorcier au Princess Azul.

— Un QUOI?

— Un sorcier… Un *brujo,* comme on dit ici.

— Un *brujo*?

Mais de quoi ce monsieur parlait-il? Un sorcier? Dans ce quatre étoiles?

— Je me présente, Stéphane Dicaire. Je viens de Saint-Hyacinthe. Ma demande peut avoir l'air étrange, vue comme ça, mais rassurez-vous, c'est pour une bonne cause!

— Enchantée, Monsieur Dicaire. Écoutez… Je ne travaille dans cet hôtel que depuis un peu plus d'un mois. Alors, bien franchement, j'ignore si la sorcellerie fait partie des services offerts. Je vais m'informer et vous reviendrai rapidement. Vous êtes dans quelle chambre? demanda Geneviève, qui souhaitait par-dessus tout demeurer polie dans les circonstances.

— Chambre 202, aile B.

L'homme repartit, non sans lui avoir redit à quel point ce *brujo* était important pour lui. La présence de ce sorcier avait dicté le choix de l'hôtel, et même le voyage tout court! Il retourna s'asseoir en compagnie d'une femme et de deux enfants d'une dizaine d'années. Cela rassura

Geneviève (l'homme n'était pas seul), mais la consterna aussi (les deux enfants savaient-ils que leur père était à la recherche d'un sorcier ?).

Une heure plus tard, à son bureau, Rosie éclaira sa lanterne.

— Plusieurs clients entendent parler de séances de sorcellerie, lui dit-elle. Ça se passerait au village ou dans la montagne. Tu sais, on a tous joué au Ouija quand on était jeunes. Certains clients s'imaginent qu'il y en a en version réelle ici. Les Dominicains font parfois dans le vaudou, comme leurs voisins haïtiens. C'est exotique. On entend parfois des choses... Ce que je sais, c'est qu'au village, il y a une médium qui est très populaire auprès de la clientèle. Elle peut sans doute faire l'affaire de ton client. Mais avertis-le qu'elle est très chère. J'ai reçu des plaintes à ce sujet.

Geneviève prit le nom de la femme, une dénommée Esperanza, ainsi que son adresse. Elle laissa les indications à la chambre de Stéphane Dicaire avec cette note : « Attention, elle demande près de cent dollars pour une séance d'une demi-heure. »

Elle passa le reste de sa matinée à réserver des restos, à donner des informations sur les activités et à rassurer un couple qui avait une peur maladive des tremblements de terre.

— Les consignes de sécurité ne sont pas claires, lui avait dit l'homme dans la quarantaine. Sur les pictogrammes, dans la chambre, on voit quelqu'un couché sous une table en position fœtale, et une interdiction de grimper aux murs... Qu'est-ce que ça signifie ?

Un peu avant midi, elle reçut la visite du colosse Hugo, flanqué des quatre mêmes femmes venues la veille.

Les nouvelles quadragénaires.

Le gardien de sécurité baragouina à nouveau des phrases inaudibles, et Geneviève interrogea directement Mélanie Deux.

— De quoi s'agit-il?

— Nos amies…

— Quoi, elles ne se plaisent pas au Playa Grand Sunset?

Ça ne surprenait pas Geneviève. L'hôtel avait des critères de salubrité minimaux.

— Elles ne sont jamais arrivées.

— Pardon?

Mélanie Trois et Stéphanie n'étaient jamais apparues au Playa Grand Sunset. Pourtant, Geneviève avait bien fait envoyer un message à leur chambre en début d'après-midi. Elle en était certaine.

— Je ne comprends pas, vraiment… Venez avec moi, on va aller demander à la réception si elles ont quitté l'hôtel en taxi.

Là-bas, Alejandra leur apprit que Mélanie Patterson et Stéphanie Aubut n'avaient jamais quitté l'hôtel.

— Mais c'est impossible qu'elles n'essaient pas de nous rejoindre, s'exclama Mélanie Un. On est ici pour fêter nos quarante ans! Ça n'arrive pas tous les jours, ça! Et sans elles, ce n'est pas pareil!

Geneviève promit aux néoquadragénaires de se rendre elle-même jusqu'à la chambre de leurs amies voir ce qu'il en était. Elles-mêmes ne pouvaient y aller, car elles n'étaient pas autorisées à circuler dans l'enceinte du Princess Azul.

— Vous avez le bracelet du Playa Grand Sunset…

— Pouvez-vous y aller maintenant? demanda Mélanie Deux. On va vous attendre.

Elles avaient l'air vraiment inquiètes. Geneviève se laissa attendrir. Pour ses quarante ans, elle était partie un long week-end à New York avec trois copines et elle en gardait un souvenir impérissable.

— OK, attendez-moi ici, ça ne sera pas long.

Il fallait traverser tout le complexe pour arriver dans l'aile où logeaient les deux femmes. Au troisième et dernier étage, leur chambre offrait une vue imprenable sur la mer. À couper le souffle.

Elle frappa à la porte. Aucune réponse. Elle tendit l'oreille, aucun son.

Une femme de chambre sortit d'une chambre voisine, et Geneviève lui demanda si elle avait déjà nettoyé la 322. Oui, plus tôt dans la matinée. Rien à signaler, sinon qu'elle avait sorti au moins quatre bouteilles de rhum vides, lui dit-elle en lui montrant les cadavres dans son bac à ordures.

— Donc, ça semble habité? Elles ont passé la nuit ici?

La femme de chambre, Rosa, acquiesca. Ça semblait très habité, il n'y avait pas de doute.

Geneviève était perplexe. Après tout, Stéphanie et Mélanie Trois n'avaient peut-être pas reçu le message de la réception. Elle prit son calepin et écrivit une note qu'elle glissa sous la porte: «Votre chambre est prête au Playa Grand Sunset. Vos amies vous attendent. Communiquez avec Geneviève, de Tour Exotica, au poste 5489.»

Elle ne savait trop quoi dire aux quatre copines qui attendaient toujours dans le hall d'entrée, sous le regard de plus en plus excédé d'Hugo.

— Elles semblent être encore dans cet hôtel. Elles n'ont sans doute pas reçu le message hier, alors je leur en ai laissé un autre sous leur porte. Elles ne peuvent pas le rater.

— C'est trop étrange, dit une brunette dont Geneviève ignorait le nom.

— Vous allez sans doute les retrouver ce soir. Ne vous inquiétez pas Mesdames, vous allez les fêter ensemble, vos quarante ans !

« Des Cro-Magnon… des Néandertaliens… des sous-hommes… »

Geneviève prenait le lunch avec sa collègue britannique, Sylvia. Dans la cinquantaine, celle-ci avait passé sa vie comme agente à destination dans des hôtels des Caraïbes, du Mexique, des îles Canaries, du Maroc, de la Tunisie. Et même de Pondichery, répétait-elle comme un vieux disque usé après son quatrième verre de rhum.

« Je m'y suis fait faire le meilleur nettoyage lymphatique du monde ! »

Sa peau rose d'Anglaise était ravagée par le soleil, couverte de taches brunâtres et de rides sinueuses. Malgré cela, elle était absolument charmante. Geneviève adorait sa compagnie et son sens de l'humour.

Tout en sirotant le premier verre de rosé d'une longue série quotidienne, Sylvia déblatérait contre de nouveaux clients, une famille comptant dix ou douze membres, « des prolos de Liverpool ». Ils avaient gagné un voyage au Princess Azul grâce au membre le plus futé du clan, qui avait remporté un jeu télévisé débile.

— Ces gens-là ne devraient même pas avoir le droit de voyager. Comment ont-ils pu remplir leur demande de passeport ? Et c'est pas parce que je suis originaire de Manchester que je te dis ça…

Tous buvaient comme des trous, détestaient la nourriture du buffet et s'en plaignaient bruyamment. La moitié
de la famille était déjà brûlée par le soleil. Sylvia avait
passé la matinée à courir les lotions apaisantes. Une des
femmes du groupe s'était endormie au soleil. Résultat : une
insolation. Elle avait vomi partout dans le hall de l'hôtel.

— Un spectacle déplorable… pas comme ce que je vois
là…

Sylvia regardait quelque chose droit devant elle, et
Geneviève se retourna. Elle vit un groupe d'une dizaine de
jeunes hommes dans la vingtaine, visiblement des athlètes.
Ils étaient musclés, mais sans exagération, et portaient
tous le même short blanc et le même tee-shirt rouge, sur
lequel on voyait des armoiries entremêlant une couronne,
des dragons et un vieux château.

— Ils appartiennent à une équipe sportive et ils ont
l'air tchèques ou slovaques ou quelque chose du genre, dit
Sylvia. Je vais investiguer auprès d'Olessia.

Olessia, Ukrainienne d'origine, était responsable des
touristes d'Europe de l'Est, de plus en plus nombreux
dans les tout-inclus de l'île. Une clientèle en général réservée et polie, même si les hommes avaient tendance à
profiter au maximum du concept « bar à volonté ». Olessia
devait souvent intervenir, en soirée, pour apaiser certains
épanchements bruyants.

— On va s'amuser un peu, n'est-ce pas, Geneviève ?

— S'amuser ? Ils ont l'air d'avoir quatorze ans !

En attendant de s'amuser, les deux femmes se rendirent
ensemble à leur rendez-vous incontournable du lundi

après-midi : la visite chez la gestionnaire de communautés de l'hôtel. Sabrina Peres recevait les agents à destination par petits groupes afin de leur communiquer les « tendances » sur Twitter, Facebook, Instagram et Pinterest.

Elle passait ses journées à scruter les réseaux sociaux pour savoir tout ce qui se publiait sur le Princess Azul de Punta Cana. Dès qu'une tendance négative se pointait (mauvaise nourriture, personnel peu avenant, saleté des chambres), Sabrina prenait les mesures nécessaires.

« C'est beau, beau, beau », dit-elle en affichant sur un écran géant le *hashtag* de l'hôtel @PrincessAzul.PuntaCana.

Des dizaines de commentaires dans un nombre considérable de langues s'affichèrent. Geneviève put déchiffrer, dans celles qu'elle connaissait, les habituels commentaires de gens qui viennent de débarquer dans ce qu'ils croient être un genre de paradis.

Sabrina demanda à Olessia le sens de certains commentaires que Google avait identifiés comme appartenant à du polonais. La traduction proposée était incompréhensible.

Olessia consulta son propre moteur de recherche spécialisé dans les langues slaves.

— Ça dit : « Je suis dans les Tropiques et je mange des mets japonais froids emballés dans des algues visqueuses qui goûtent les excréments », traduisit Olessia sur un ton monocorde. Je soupçonne qu'il s'agit d'un inculte de l'équipe des U-21, ajouta-t-elle.

— L'équipe des quoi ? demanda Sylvia, soudain alerte.

— Les joueurs de l'équipe nationale de soccer de Pologne âgés de moins de vingt et un ans. Tu ne peux pas les manquer, ils sont habillés pareil et se promènent sous forme de troupeau sur le site. Ils sont pas souvent sortis de chez eux, je peux te l'assurer…

Sylvia fit un clin d'œil à Geneviève. Celle-ci la regarda, horrifiée.

— Ils ont l'âge de mon fils !

— *Enjoy !*

Sabrina Peres poursuivit sa présentation, montrant des centaines de photos publiées sur Pinterest et Instagram, la moitié représentant de la nourriture et l'autre, des couchers de soleil. Puis, elle passa à la page Facebook du Princess Azul de Punta Cana. Là encore, tout allait pour le mieux dans le meilleur des mondes… sauf un Américain, qui y écrivait qu'il avait préféré son précédent séjour au Grand Paladium Tropical Miracle Occidental.

Cette simple mention contraria Sabrina.

Cet hôtel était le concurrent direct du Princess Azul. Il avait été construit deux ans plus tôt, entièrement sur la base de savants algorythmes qui avaient déterminé les goûts du jour chez le voyageur occidental moyen. Les résultats étaient parfois surprenants (des allées de bowling, les matchs des Yankees diffusés sur grand écran à la plage, des batailles d'Oreo trempés dans le lait le mercredi soir), parfois convenus (méditation bouddhiste, poterie interactive, menu macrobiotique, techniques de visualisation), voire surréalistes (on y organisait des concours de coupons de circulaires, avec virées au *supermercado* local, et on avait aménagé un chenil pour ceux qui s'ennuyaient de leurs animaux domestiques). Mais le fait était que la popularité du Grand Paladium Tropical Miracle Occidental ne se démentait pas. Notamment auprès des Américains, une clientèle que le Princess Azul cherchait désespérément à reconquérir.

En sortant du bureau de Sabrina Peres, Geneviève passa devant celui, vaste et baigné de lumière, du directeur général de l'hôtel, l'exquis Federico Armando del Prado Mayor, une créature qui faisait l'objet de tous les fantasmes de l'ex-psychologue. Brun, de taille moyenne, dans la quarantaine, il avait les traits délicats et des taches de rousseur pigmentaient son joli nez. Des yeux pers légèrement en amande et un accent zozotant typique des Madrilènes achevaient de séduire Geneviève, qui perdait tous ses moyens en sa compagnie. Malheureusement, son bureau était tapissé de photos d'une femme, d'enfants et même d'un chien que Geneviève avait identifié comme un bouledogue irlandais après avoir fait une recherche sur Internet. Même si tout ce beau monde était resté en Espagne et ne venait lui rendre visite qu'à l'occasion, Federico del Prado était au-dessus de toute tentation féminine, lui avaient confié plusieurs de ses collègues.

« C'est comme un saint », lui avait dit Sylvia, une dizaine de jours après son arrivée.

Elle avait bien sûr tenté le coup.

« Il semblait ne pas comprendre ce qui se passait, avait dit l'Anglaise, pensive. C'était comme si je lui avais parlé en chinois… » En tout cas, sa femme peut dormir tranquille.

Le reste de l'après-midi fut typique d'un surlendemain d'arrivée : après l'euphorie, était venu le temps de quelques déceptions, petites et grandes. Le choix de nourriture sans gluten était nul. Un couple âgé se plaignait de l'extrême chaleur. La dame faisait de la pression. Ses pieds et ses chevilles étaient horriblement enflés.

—Voulez-vous rencontrer la docteure Thu? C'est la médecin du *resort*.

—Elle peut faire baisser la température? demanda l'homme sur un ton un peu agressif.

Geneviève lui sourit. Toujours garder son calme, même avec les clients malotrus.

Elle reçut un coup de fil du bureau-chef de Tour Exotica, à Montréal. Après six semaines en poste, il était temps de faire un premier bilan, lui dit Johanne Prévert, la responsable des agents à destination.

—Est-ce que tout se passe comme vous vous y attendiez? demanda-t-elle.

— Franchement, oui, lui répondit Geneviève. Le studio est parfait, la nourriture, excellente.

—Vous n'avez pas trop les *blues*? Vous savez, c'est fréquent les premiers mois…

La question lui avait maintes fois été posée lors de son entrevue d'embauche. Le contrat s'échelonnait sur deux ans. Était-elle déjà partie si longtemps? Qu'en pensait sa famille? Qu'en pensaient ses proches?

Geneviève était restée vague sur ses motivations profondes. Elle avait besoin de prendre du recul par rapport à son exigeante profession de psychologue, avait-elle répondu. Elle voulait vivre une expérience à l'étranger. Pourquoi pas dans les Caraïbes? Elle parlait bien espagnol, elle l'avait appris au cégep et pratiqué lors d'un séjour linguistique en Espagne. Elle avait fréquenté des tout-inclus, surtout lorsque les jumeaux étaient petits, et elle avait adoré ces expériences. Ses enfants, par ailleurs, étaient devenus de jeunes adultes et se débrouillaient fort bien sans elle. Son père s'adaptait quant à lui à son nouvel environnement, et elle le savait en sécurité.

Elle ne l'avait pas dit à Johanne Prévert, mais elle voulait surtout oublier la trahison de Paul. Son amoureux depuis six ans. Celui qu'elle considérait comme l'homme de sa vie, jusqu'au matin où il lui avait annoncé qu'il était tombé amoureux de leur femme de ménage, Cecilia.

Geneviève avait cru à une mauvaise blague. Mais Paul avait l'air sérieux. Il était en train d'engouffrer sa tartine à la confiture de fraises et de boire sa tasse de café au lait, un rituel immuable.

— Tu connais Cecilia depuis six ans, Paul... Elle travaille chez moi depuis la naissance des jumeaux, bordel! Et elle a cinquante-huit ans!

Paul l'avait regardée, découragé, l'air de se dire: «Dieu qu'elle est superficielle!»

— Justement, Cecilia a du vécu... Je l'ai redécouverte sous un autre jour, il y a un mois. Elle était en train de nettoyer tes armoires de cuisine lorsqu'elle m'a expliqué comment elle avait quitté le Chili, en 1973, après que le général Pinochet en personne l'eut giflée... Cecilia a été giflée par le général Pinochet, Geneviève. Elle a eu la main d'un des dictateurs les plus célèbres du vingtième siècle sur sa joue. Elle fait partie de l'Histoire!

Paul était justement professeur d'histoire à l'université, et il avait fait son doctorat sur la présence de menuisiers basques au sein de l'armée napoléonienne et leur impact dans la défaite de Waterloo. Quel était le rapport avec les malheurs récents en Amérique latine?

Et comment la gifle d'un dictateur pouvait-elle l'avoir fait basculer de la sorte? Jusqu'à détruire six ans d'une relation somme toute harmonieuse? Outre la différence d'âge avec Paul, Cecilia était une piètre femme de ménage. Geneviève soupçonnait donc que la gifle de Pinochet n'avait rien eu «d'historique», et qu'il s'agissait simplement d'un mauvais travail domestique. Au fil des ans, Geneviève avait gardé Cecilia par pure reconnaissance, trop faible pour la remercier. Elle devait sans arrêt passer derrière elle pour compléter son ménage hebdomadaire, de plus en plus bâclé. Elle aurait dû la mettre dehors depuis longtemps lorsqu'elle avait détruit trois magnifiques poteries mexicaines. Du coup, elle avait tué les plantes qui s'y trouvaient, un magnifique spatiphyllum en fleurs et deux *ficus elastica,* pourtant réputés pour leur robustesse. Cecilia avait renversé le contenu complet d'une étagère en verre en enlevant les pots qui la retenaient, «pour les nettoyer».

— Geneviève, ajouta Paul, tu es devenue lourde depuis ta radiation… Je ne veux pas me taper ça pour les deux prochaines années. La vie est trop courte.

— Ça fait juste deux semaines!

L'annonce de Tour Exotica était ainsi tombée à point.

— Non, franchement, je n'ai pas trop les *blues,* répondit Geneviève à Johanne Prévert. Vous savez, avec Internet et Skype, c'est comme si j'étais encore à Montréal. Enfin presque…

En quittant son bureau en fin de journée, Geneviève croisa Francisco, le vendeur de bijoux, qui remballait son stock. Il était en sueur. La journée avait été particulièrement torride. Le vendeur n'avait pas la chance de travailler à l'air climatisé comme Geneviève.

— Tu ne veux pas acheter un bracelet, Rhénébièbé?

— Sans façon, Francisco. Je ne porte presque pas de bijoux depuis que je suis arrivée ici, il fait trop chaud!

C'était une excellente excuse, se félicita Geneviève, qui trouvait les bracelets, colliers et boucles d'oreilles hideux avec leur volumineuse pierre rouge.

Francisco se plaignit que sa nouvelle collection ne marchait pas. Il n'avait vendu que quelques pièces depuis le matin, la dèche.

— Il n'y a pas assez de jeunes mariés, ici. Ils sont tous au Grand Paladium Palace.

— Ils sont peut-être un peu trop gros, tes nouveaux bijoux ? se risqua Geneviève. Et c'est quelle sorte de pierre ? demanda-t-elle.

— Un mélange de plusieurs métaux, répondit Francisco, énigmatique. Secret industriel !

— Est-ce qu'ils mangent des loukoums ? Est-ce qu'ils mangent des loukoums ?

Gonzo était déchaîné, ce soir-là, lors du souper entre collègues au buffet. Il était tombé sous le charme d'une Croate et interrogeait Olessia, experte en question slave, sur ce pays qu'il croyait au départ situé au Moyen-Orient.

— Est-ce qu'ils mangent des loukoums ? demandait-il à répétition. Une jolie Turque, qui lui en envoyait chaque semaine depuis son séjour au Princess Azul, six mois auparavant, avait soudainement cessé de le faire, au grand dam de Gonzo. Il avait pris goût aux sucreries moyen-orientales.

Sur la terrasse extérieure, on entendait les râlements du chanteur à demeure du Princess Azul, Arno.

Il était d'origine française et un parfait sosie de Renaud. Mêmes cheveux blonds hirsutes, mêmes yeux bleus délavés, même voix éraillée. Michèle, l'agente à destination française, une trentenaire discrète et sophistiquée, était convaincue qu'il s'agissait du vrai Renaud et qu'il était ici incognito. À l'aide d'exemplaires de *Paris Match*, elle avait comparé les tatous des deux hommes : il s'agissait des mêmes.

«Il a vécu une dépression majeure récemment... Sa copine l'a quitté. Peut-être est-il venu panser ses plaies au Princess Azul? Il ne serait pas le premier à le faire», disait-elle d'un air énigmatique.

Michèle lui avait demandé, de but en blanc, s'il était le véritable Renaud, et elle avait reçu une réponse évasive de la part du Français. Geneviève prenait parfois un verre avec lui et d'autres employés de l'hôtel, en fin de soirée, et elle était elle-même intriguée. D'autant plus que le dénommé Arno chantait plusieurs succès du répertoire de Renaud qu'il avait traduits en espagnol.

Soudain, alors qu'Arno entamait une version latino d'une chanson de Mylène Farmer, Geneviève aperçut, assises un peu en retrait, deux filles qui ressemblaient à s'y méprendre aux quadragénaires recherchées par leurs amies du Playa Grand Sunset. Oui, c'était bien celle qui sanglotait et l'autre, celle qui jurait dans le bus la nuit de leur arrivée : Mélanie Trois et Stéphanie.

Les deux femmes n'étaient vraisemblablement pas allées rejoindre leurs quatre copines, qui les attendaient désespérément au Playa Grand Sunset...

Sitôt son repas terminé, Geneviève se dirigea vers Mélanie et Stéphanie, qui en étaient encore à l'apéritif.

Elle fut accueillie par des regards interrogateurs.

— Bonjour, Mesdames! Je suis Geneviève Cabana, je vous ai accueillies dans la nuit de samedi à dimanche à l'aéroport. Vous avez quatre amies qui ont très hâte de vous voir au Playa Grand Sunset! Avez-vous reçu mes messages?

Les deux femmes se regardèrent. Puis l'une d'elles, celle qui lançait des jurons dans le bus, commença à lui parler dans une langue que Geneviève n'arrivait pas à déchiffrer, tout en gesticulant avec animation. Sa copine semblait lui poser des questions dans le même idiome inconnu.

—Vous ne parlez pas français? demanda Geneviève. *English? Español? Português?*

Les femmes hochèrent la tête et poursuivirent de plus belle une discussion animée, dans une langue qui lui rappelait celle qu'utilisait un type qu'elle avait soigné quelques années plus tôt. Il faisait le même genre de sons et prétendait parler suédois. Mais un Scandinave de sa connaissance avait confirmé ce que la psy craignait: non seulement ce n'était pas du suédois, du norvégien ou du danois, mais il s'agissait sans doute d'une langue inventée.

Geneviève avait confié le malheureux aux soins d'un psychiatre.

Mais que faire de ces deux femmes?

Aucune communication n'était possible. Par ailleurs, elles semblaient se bidonner ferme.

—Vous n'êtes pas Mélanie Aubut? Stéphanie Patterson? Vous ne venez pas du Québec?

Les deux femmes répétaient les prénoms lentement, avec un énorme accent, tout en hochant la tête.

Geneviève s'excusa et tourna les talons. Elle était complètement confuse.

De retour dans son studio vers vingt et une heures, elle entreprit d'écrire à son frère pour lui parler du cas de leur père.

La meilleure manière de joindre Luc était via son compte Facebook, sur lequel il était très actif. Geneviève tapa son nom et vit apparaître une nouvelle photo sur son profil. Curieuse, elle l'agrandit et sursauta devant ce qu'elle avait sous les yeux : Luc portait un tee-shirt noir sur lequel on pouvait lire en jaune fluo « Fuck Kyoto », avec en toile de fond une cheminée rouge en forme de doigt d'honneur.

« Franchement vulgaire », se dit-elle. La page de son frère était remplie de commentaires hargneux contre l'accord de Kyoto et de liens Internet renvoyant vers des sites de ramoneurs furieux. La dernière entrée d'un blogueur vedette, Un ramoneur la nuit, avait reçu des dizaines de commentaires, certains violents. Geneviève se demandait ce que la femme de Luc, la délicate Sylvie-Anne, pouvait bien penser de ce nouveau délire.

Papa semble avoir perdu son dentier, écrivit-elle. Tu peux t'occuper de téléphoner à la résidence ? Peut-être a-t-il été volé, mais je soupçonne qu'il l'a simplement égaré. Donne-m'en des nouvelles. Bisous,

Geneviève

Elle tenta de *skyper* Anne, mais sa fille n'était pas en ligne. Sans doute sortie, se dit-elle, soudain inquiète. Elle avait toujours contrôlé les allées et venues de sa fille, de crainte qu'elle ne se fasse kidnapper ou encore happer par un chauffard. Une vraie névrose dont elle n'arriverait pas à se débarrasser. Jusqu'à son exil. Depuis son arrivée, elle avait déjà passé trois jours sans nouvelles et avait survécu ! Elle faisait des progrès, c'était indéniable.

Elle se demandait dans quel état était le condo de l'avenue Champagneur, maintenant que deux copines étaient venues y habiter. Elle tenta de joindre son fils, mais en vain. Il n'était pas non plus devant son ordinateur.

Dans son cas, elle craignait constamment qu'il se fasse tabasser par une bande de voyous à la sortie d'une station de métro, ou encore happer par un chauffard.

Elle se demandait de quoi vivait son ex-mari depuis qu'elle avait cessé de lui payer une pension alimentaire sur décision du juge, dès sa radiation comme psychologue confirmée. Son salaire était désormais trop faible pour entretenir un artiste, même raté. Et comme les jumeaux seraient considérés comme indépendants dans deux ans, elle n'aurait plus jamais à lui donner quoi que ce soit !

Elle se versa un verre de vin en savourant cette petite victoire et en se disant qu'elle buvait trop depuis qu'elle était ici. Elle s'installa sur sa petite terrasse qui faisait face à la mer. C'était pas mal, finalement, cet emploi, hormis l'emploi lui-même, bien sûr, et les incessantes demandes de la clientèle. Mais bon, était-ce plus pénible que les gémissements de sa clientèle montréalaise, tourmentée et névrosée ?

Sur Facebook, sa photo du coucher de soleil du samedi soir avait un succès fou. Son amie Isabelle avait écrit un statut énigmatique sur le sens de la vie, elle devait être dans une mauvaise passe. Caroline avait de nouveau attrapé quelque chose sur Farmville. Un autre copain, Marc, lui envoyait le lien de la dernière chronique de son tortionnaire. « Il exagère tellement », écrivait-il.

Cette fois, le chroniqueur s'attaquait à une famille de réfugiés afghans qui se disaient tous homosexuels et persécutés pour cette raison dans leur pays d'origine, d'où leur fuite. Le père, la mère, deux tantes, les trois ados… tous gais. Ne manquaient que les cinq enfants plus jeunes du couple. Même la grand-mère, une femme dans les soixante-dix ans passés, se disait lesbienne. Sur la photo publiée sur le site, elle tenait par la main sa pseudocompagne de vie, vraisemblablement une Inuit ramassée dans la rue si l'on se fiait à son allure générale, à l'état de sa dentition et à son regard ahuri.

«Ce sont plutôt eux qui exagèrent, pas ce crétin de chroniqueur», se dit Geneviève.

Hannah, une ancienne copine de son école primaire du quartier Nouveau-Bordeaux, l'invitait à devenir son amie. Elle ne l'avait pas revue depuis des années. Geneviève se souvenait surtout de son frère, le beau Shérif. Elle le revoyait déambuler, bronzé et musclé, au bord de la piscine L'Acadie, vêtu de son maillot de bain moulant à l'effigie des Jeux olympiques de 1976. Ses gougounes accentuaient sa démarche nonchalante.

Shérif, très sûr de lui, ne jetait que des regards hautains et vaguement méprisants sur les amies de sa jeune sœur.

Elle accepta l'invitation d'Hannah, lui demandant poliment des nouvelles d'elle et, surtout, de Shérif.

— Je pense à lui à chaque fois que je vois le sigle des Jeux olympiques de Montréal! lui écrivit-elle.

Elle avait douze ans. Elle portait des shorts qui lui rasaient les fesses, des camisoles mal ajustées et avait les cheveux plats et gras. Ses dents n'avaient pas encore été redressées par un appareil dentaire.

Geneviève délaissa Facebook, puis mit sur son portable un CD de la série britannique la plus drôle de tous les temps, *Falty's Tower*, gracieuseté de Sylvia, qui les traînait avec elle depuis des années. John Cleese y jouait le rôle d'un tenancier d'auberge totalement odieux avec sa clientèle. Le fantasme de tous les agents à destination.

Mardi

— Mais qu'est-ce que tu fais là, toi ? Elle est où, ta maman ?

Un minuscule chaton tigré roux se tenait au bas des escaliers de l'aile A où était situé le studio de Geneviève. Elle prit le bébé chat dans ses bras. Il cracha rageusement.

— Toi, tu dois appartenir au Clan Corleone... On va aller les retrouver ensemble.

Le Clan Corleone, c'était le surnom que le personnel du Princess Azul donnait à une colonie de chats qui vivaient en autarcie – et dans le plus grand bonheur – dans les jardins autour des cuisines. Ils avaient de l'eau et de la nourriture en abondance. C'était, pour ainsi dire, un petit paradis terrestre pour chats. Le premier couple qui s'y était installé, des années plus tôt, avait fondé une famille qui s'était depuis multipliée. La majorité de ses membres était des tigrés roux, mais quelques apports extérieurs avaient assuré une certaine variété génétique. Leur nom leur avait été attribué en raison de leur férocité à s'approprier les lieux et à contrôler leur territoire, comme les Corleone du *Parrain*. Les intrus n'étaient pas les bienvenus.

Régulièrement, des chatons venaient au monde. Ils se mettaient à se promener imprudemment un peu partout sur le site, ignorant les règles territoriales tacites. La directrice de la salubrité, Alicia Flores, envoyait alors un mémo pour ordonner qu'on ramène tous les petits dans leur jardin. Lorsqu'il y en avait trop, on organisait une razzia et on les «délocalisait», comme disait Alicia Flores, sur des territoires connexes. C'était à tout coup des moments déchirants pour le personnel de la cuisine, qui les affectionnait et les gâtait outrageusement.

Certains clients devenaient gaga des chatons. Plusieurs tentaient de partir en douce avec l'un d'eux. Durant l'été, avait-on raconté à Geneviève, un touriste américain avait tenté d'en emporter deux avec lui dans l'avion. Il avait été démasqué à l'aéroport, et les petits félins avaient été rapatriés au Princess Azul.

Le bébé chat roux dans les bras, Geneviève entra dans les cuisines.

— Est-ce que le Clan Corleone est dans les parages? Je crois que j'ai trouvé un de ses jeunes membres…

— Tu t'es sauvé? Tu vas finir par disparaître, mon coco, dit Mercedes, la responsable de la section produits laitiers. Il est trop mignon celui-là, ajouta-t-elle en prenant le chaton des bras de Geneviève. La minuscule créature grogna et émit un miaulement qui se voulait menaçant.

— Si petite et déjà un gros caractère, la demoiselle? dit Mercedes, qui venait de vérifier le sexe du chaton. Allez, on va aller retrouver le reste de ta famille. Il ne faut plus que tu traînes dans l'hôtel… Alicia Flores pourrait te voir et elle n'aime pas les petits chats!

Mercedes et le bébé chat disparurent dans le jardin.

Geneviève but un verre de jus d'orange fraîchement pressé et partit vers la piscine faire ses longueurs matinales.

Elle en visait une vingtaine ce matin-là. Elle venait tout juste de les compléter et sortait de l'eau lorsqu'une jeune femme l'aborda.

— Nous avons un problème! dit-elle.

— Il est huit heures! répondit Geneviève en prenant sa serviette pour s'essuyer. Est-ce que vous pouvez venir m'en parler tout à l'heure à mon bureau? J'y serai à neuf heures pile.

— Ça me pique trop, j'en peux pus!

Sans attendre plus longtemps, la jeune femme souleva une chemise vaporeuse, et Geneviève aperçut les boutons les plus vilains qu'il lui ait été donné de voir au cours de sa vie. Elle était pourtant passée à travers deux varicelles très éprouvantes contractées par les jumeaux à une semaine d'intervalle. Les abcès de la jeune femme étaient violets, crevassés, ornés de pus jaunâtre. C'étaient des champions mondiaux, toutes catégories confondues.

Geneviève eut un geste de recul.

— Je sais, c'est dégoûtant…

La cliente, qui se présenta comme Myriam Lalumière, avait vu apparaître ces horreurs purulentes la veille. Leur croissance avait été fulgurante et elles s'étendaient à ses bras, à son torse et à ses lobes d'oreilles. Toute la nuit, elle avait eu des démangeaisons. Aucune crème ne la soulageait.

—Vous devez voir un médecin, lui dit Geneviève. Docteure Thu sera de garde à l'hôtel en début d'après-midi. Passez à mon bureau, et je vous emmènerai à son cabinet. En attendant, je vous conseille de ne pas vous exposer au soleil, ça pourrait être contre-indiqué… Et n'allez pas dans la piscine!

Les boutons de la jeune Lalumière la hantaient toujours tandis qu'elle déjeunait. Sylvia s'installa à sa table.

— J'en sais plus sur les U21, lui dit-elle. En fait, ce sont des U23, ce qui les rend quand même plus acceptables, non?

Geneviève la regardait, l'air suspicieux.

— Ils sont *under* vingt-trois ans. Donc il y en a de vingt-deux, vingt-trois. J'ai pris rendez-vous avec deux d'entre eux ce soir, au bar. On est en congé demain, non? Il s'agit de Piotr et de Pavel. Tellement polonais, ces noms! Ils sont mignons à souhait.

— Et ils ont accepté ton invitation? Je veux dire… On a le double de leur âge, presque le triple, non?

— J'ai rusé. Je leur ai dit que j'amènerais ma fille. Mais je n'ai pas précisé son âge…

Geneviève imagina son amie en train d'expliquer aux deux athlètes que sa «fille» avait quarante-huit ans, et donc qu'elle l'avait mise au monde vers l'âge de sept ans. «Des choses qui n'arrivent qu'en Grande-Bretagne», dirait-elle.

— Ils ont compris ce que tu leur disais?

— Le dénommé Pavel semble comprendre quand je parle. Un peu, du moins. Écoute, Gene, tu ne fais pas ton âge. Regarde tes cheveux! Pas un poil blanc! Un brun parfait!

— Je les teins! D'ailleurs, il faudra bien que je me risque au salon de l'hôtel… Comment il est, le coiffeur?

— Emerson? Il est bien. Et toi, t'as encore une peau de bébé, dit Sylvia en plissant exagérément son visage, ce qui fit apparaître des crevasses de rides. Bon, quelques petites rides ici et là, mais si tu te maquilles un peu, ça ne paraîtra pas trop.

Lorsqu'elle arriva à son bureau, à neuf heures, Hugo attendait déjà Geneviève, l'air consterné. Il ne tenta pas de lui expliquer quoi que ce soit, mais lui fit signe de le suivre. Ils se dirigèrent dans le hall de l'hôtel où Geneviève vit deux policiers en uniforme, en grande discussion avec la préposée, Alejandra.

Y avait-il eu un accident durant la nuit? Lors de sa première semaine passée au complexe, un jeune homme éméché était tombé de son balcon et s'était cassé les deux jambes et brisé toutes les dents. Il voulait voler, avait-il dit par la suite.

Mais il ne s'agissait pas d'un accident.

— Nous enquêtons sur la disparition de deux Canadiennes, dit l'un des deux policiers, un dénommé L. Ferrandez.

— Ils disent que deux clientes de l'hôtel sont portées disparues, renchérit Alejandra. Celles que tu cherchais hier... La chambre 322.

La police de Punta Cana avait été avisée tôt le matin de la disparition de Mélanie Patterson et de Stéphanie Aouboutte – c'était ainsi que l'inspecteur prononçait le nom d'Aubut –, deux citoyennes canadiennes arrivées en République dominicaine dans la nuit du samedi au dimanche. Le signalement avait été fait par leurs amies. Elles ne répondaient pas à leur cellulaire ni aux messages Facebook. Elles semblaient s'être évaporées, «peut-être sur le chemin entre le Princess Azul et le Playa Grand Sunset», avança l'inspecteur, qui sortit des photos des deux femmes.

C'était bel et bien celles que Geneviève avait vues au souper la veille.

— Mais elles sont encore ici! glapit Alejandra.

— Très bien, alors nous aimerions les rencontrer.

Geneviève expliqua à l'inspecteur Ferrandez qu'elle les avait vues la veille au restaurant. Elles semblaient en parfaite santé. Sans doute souhaitaient-elles rester au Princess Azul, en raison de son confort et de son prestige.

— Inspecteur Ferrandez, si vous aviez le choix entre cet hôtel et le Playa Grand Sunset, vous choisiriez quoi?

L'argument fit son effet. Les policiers se regardèrent en hochant la tête.

— D'accord, c'est mieux ici... Mais pourquoi ne pas donner des nouvelles à leurs amies? demanda l'autre policier, un type frêle répondant au nom de J. Paz.

Ni Alejandra ni Geneviève n'avaient de réponse à cette question. En effet, pourquoi ne pas donner de nouvelles? Selon l'inspecteur Ferrandez, le voyage était planifié depuis un an. Une page Facebook y était dédiée.

— Nous aimerions beaucoup que les dames Patterson et Aouboutte donnent des nouvelles, dit J. Paz en tendant sa carte.

Geneviève retourna à la chambre 322 de l'aile B avec une nouvelle note, ainsi que les numéros de téléphone des inspecteurs Paz et Ferrandez. Elle ne leur avait rien dit, ni à Alejandra, au sujet de l'étrange échange qu'elle avait eu la veille avec les deux femmes et leur utilisation d'une langue probablement inventée.

— Donnez de vos nouvelles à vos amies du Playa Grand Sunset, ça presse, écrit-elle. Elles s'inquiètent. La police vous cherche.

Un couple l'attendait à son bureau. Geneviève reconnut l'air courroucé de gens venus se plaindre.

— Nous nous sommes fait fourrer, dit un homme disant s'appeler Pierre Chartier.

— Nous voulons un remboursement de la compagnie, dit sa femme, qui se présenta comme Nathalie Picard.

Ils avaient payé cent-cinquante dollars chacun pour le safari en jeep offert par un tour privé. L'expérience avait apparemment été décevante. Ils avaient été « sérieusement contaminés » par le diesel qui s'échappait du moteur de la jeep. Le paysage était monotone. La chaleur, accablante. Mais pire encore, ils n'avaient vu aucun animal.

— Est-ce que des scarabées, des mouches à marde et des vipères font partie d'un safari, Madame ?

— Eh bien, ça dépend de ce que vous attendez d'un safari…

Pierre Chartier sortit son téléphone cellulaire, ouvrit son application Antidote et lut à haute voix la description du mot « safari » qu'en faisait le dictionnaire :

— « Nom masculin. En Afrique noire, expédition de chasse aux gros animaux sauvages. » Est-ce qu'on peut qualifier de gros animaux sauvages des serpents maigrelets et des araignées ?

— Mais on parle d'Afrique noire, Monsieur Chartier. Vous croyez-vous en Afrique noire, bordel ?

Geneviève regretta aussitôt de s'être emportée.

— Ah ! Parce qu'on est en Afrique blanche, peut-être ? demanda Nathalie Picard sur un ton moqueur. Si oui, ça le paraît pas ben ben.

Geneviève était estomaquée. Mais elle se rappelait pourquoi elle avait atterri au Princess Azul : elle avait injurié et brutalisé un client. En tant que psy, elle ne voulait surtout pas que ça devienne un trouble récurrent. C'était trop facile. Elle devait garder son calme.

— Écoutez, je vous entends. Je vais voir s'il est possible de faire quelque chose pour vous. Mais le tour qui organise ce safari est privé, donc c'est plus difficile... Je m'informe et je vous reviens. Vous êtes dans quelle chambre?

En route vers le restaurant pour son repas du midi, elle croisa un de ses clients, Pierre Sansregret, vêtu d'un simple maillot de bain et d'une camisole qui laissait entrevoir une avalanche de poils sur son torse et sous ses aisselles.

Chaque semaine, Geneviève se prenait d'une affection particulière pour certains clients de Tour Exotica. La semaine précédente, c'étaient deux dames âgées qui avaient abouti par erreur à Punta Cana, croyant qu'il s'agissait de la Costa Brava. La précédente, deux jeunes femmes qui lui rappelaient sa fille.

Cette semaine, c'était Pierre Sansregret.

Le gastroentérologue quinquagénaire pratiquait au CHU Notre-Dame. Il était venu seul au Princess Azul. Il avait expliqué à Geneviève son grand besoin de décompresser après des semaines particulièrement difficiles, où il avait dû gérer, avait-il dit, «plusieurs horreurs gastriques», sans donner plus de précision. Il avait exigé une chambre au rez-de-chaussée, car la vue d'une fenêtre en hauteur lui rappelait un incident survenu quelques jours plus tôt et qui avait précipité son départ en vacances: la défenestration d'un de ses patients. L'homme, à qui le docteur Sansregret venait de compléter une colonoscopie, avait été pris d'un moment de folie. Il s'était levé subitement, arrachant les tubes et hurlant que des extraterrestres voulaient lui détruire les entrailles. Sous les yeux horrifiés du personnel médical, il s'était jeté par une fenêtre, exceptionnellement ouverte en raison d'une panne de climatisation. Même s'il avait atterri sur le toit d'une Ford Focus, réputée pour sa souplesse, il était mort sur le coup.

«Il venait du département de psychiatrie et il était très agité», avait expliqué le gastroentérologue. «Il avait des symptômes d'évacuation inquiétants, et j'ai voulu vérifier son côlon. Vous savez, les maladies mentales ne protègent pas des problèmes dans cette région! Mais je m'en suis voulu parce qu'il n'avait rien, son côlon était joli comme tout…»

Geneviève, qui s'était présentée comme psychologue, lui avait dit que le mieux était de verbaliser ses émotions, ce qu'il faisait abondamment chaque fois qu'il la croisait. Ou le matin, à son bureau, lorsqu'il venait réserver son repas du soir dans un des restos du complexe hôtelier.

— En passant, j'ai adoré le restaurant japonais que vous m'avez recommandé. Quel délice! Les sushis, un pur bonheur! Ça m'a rappelé un congrès mondial de gastro-entérologie, qui a eu lieu à Tokyo il y a quelques années. Quelle histoire…

Le Docteur Sansregret narra une série d'anecdotes toutes aussi drôles les unes que les autres. L'une était particulièrement cocasse. Un participant, une sommité iranienne aux traits délicats et à l'allure androgyne, avait été pris pour une femme et «déguisé» en geisha par les organisateurs. Ces derniers offraient ce petit cadeau aux participantes au congrès, lesquelles adoraient l'idée d'être transformées en geisha pendant quelques heures.

— Je pense que le responsable de cette méprise s'est fait hara-kiri! dit-il en mimant le geste de s'éventrer et en riant de plus belle.

Geneviève était sous le charme.

— Comment a été le catamaran ce matin? demanda-t-elle en faisant son plus beau sourire.

— Très bien! Même si nous avons eu… des petits accidents, dit-il en mimant cette fois quelqu'un en train de vomir.

«Un vrai clown», se dit Geneviève.

— Cordonnier mal chaussé, ajouta-t-il. Je n'ai pas su comment réagir, et le bateau s'est retrouvé souillé de résidus du déjeuner. Croyez-moi, je ne toucherai plus aux *frijole* durant ce voyage, même si j'adore ça! dit-il en riant toujours.

Geneviève le quitta à regret et le prévint que le lendemain, Rosie prendrait sa place. Le mercredi était sa journée de congé.

— Je vais m'ennuyer de vous! dit-il en tournant les talons.

«Moi aussi», se dit Geneviève.

La docteure Thu était une femme stoïque et impassible, mais les boutons de Myriam Lalumière lui arrachèrent trois petits cris, faibles et courts.

Ses traits se crispèrent, et Geneviève eut de la difficulté à percevoir ses iris sous ses yeux en amande complètement plissés.

La médecin était visiblement préoccupée.

Geneviève commençait à s'inquiéter. Et s'il s'agissait du virus Ebola, celui provenant des singes du Congo? Les gens atteints mouraient de fièvre hémorragique en quelques heures. La contagion était ultrarapide.

— Ces boutons sont très laids, dit la docteure Thu.

Geneviève traduisit les propos de la médecin à Myriam, en changeant le terme «laid» par celui de «différent».

La médecin voulait connaître l'hygiène corporelle de la jeune femme, et surtout, ce qu'elle avait mangé depuis son arrivée.

— Des sushis au restaurant japonais, du poisson local, des omelettes, traduisit Geneviève.

— Il s'agit peut-être d'un empoisonnement alimentaire, mais d'un type nouveau. Je vais aviser la direction de l'hôtel. On voit ce genre de choses habituellement au Playa Grand Sunset, mais pas ici, poursuivit la docteure Thu.

La médecin posa ensuite une série de questions plus personnelles à sa patiente. Était-elle venue au monde par voie naturelle ou par césarienne ? Avait-elle connu des difficultés de concentration à l'école ? Un de ses grands-parents était-il mort de tuberculose ? Puis elle sembla en venir à des considérations plus immédiates : avait-elle des allergies ?

— Nous allons commencer par des crèmes antibiotiques et de la pénicilline, dit la docteure Thu à l'intention de Geneviève, qui continua la traduction. Un traitement-choc s'impose. Cette jeune femme ne peut utiliser ni la piscine ni le spa. Attention au sable ! Elle doit aussi s'abstenir de toute relation sexuelle. Je la revois dans deux jours.

À la piscine, le beau Gonzo s'en donnait à cœur joie avec sa jolie Croate, qu'il faisait virevolter dans les airs. Il avait mis une musique langoureuse et faisait semblant de danser avec elle dans l'eau.

Deuxième Retour n'était pas assise sur une chaise longue à l'observer comme à son habitude. « Une bonne affaire, se dit Geneviève, elle est enfin passée à autre chose. » La clinicienne analysa un retour à la réalité dans la foulée d'un renoncement à un projet chimérique. Elle espérait que sa cliente n'en soit pas trop affectée.

Puis son pied glissa sur un magazine qui traînait par terre, complètement détrempé. En le ramassant, elle s'aperçut qu'il s'agissait du numéro de *Châtelaine* que Deuxième Retour faisait semblant de lire depuis son arrivée au Princess Azul. En levant la tête, elle l'aperçut qui marchait à grandes enjambées vers le bâtiment D. Son deux-pièces jaune accentuait son extrême maigreur. Ses omoplates jaillissaient, telles des ailes. Elle avait noué ses cheveux mouillés, et sa couette avait l'air d'une queue de rat...

«Elle s'est donc baignée, se dit Geneviève. Et a assisté à toute cette scène avec Gonzo. Mais pourquoi s'acharne-t-elle ainsi?»

Un message de son frère Luc l'attendait. Comme d'habitude, il manquait de concision, mais Geneviève en saisit l'essentiel.

Leur père n'avait pas perdu son dentier. Il l'avait bel et bien dans la bouche lorsque Luc était passé à la résidence du Crépuscule bienveillant, plus tôt dans la journée. Marcel niait l'avoir jamais égaré. Luc avait trouvé qu'un de ses coudes était légèrement enflé. Il lui avait mis de la glace, «deux fois vingt minutes pendant une période de deux heures», avait-il précisé.

Toujours cette obsession de la glace! Luc avait été un athlète de haut niveau s'étant même rendu en finale des Jeux de Québec en badminton à l'âge de douze ans. Il avait joué au hockey jusqu'au niveau Bantam AAA, et avait par la suite jeté son dévolu sur le football collégial. Aujourd'hui, il pratiquait des sports extrêmes, grimpait régulièrement des montagnes aux noms impossibles à retenir, et faisait partie d'une équipe de triathlon. Geneviève ne le voyait jamais sans un sac de glace, qu'il posait sur toutes les parties de son corps endolories par ses activités. Il le faisait même «à titre préventif».

Étrange, tout de même. Pourquoi son père lui avait-il raconté cette histoire de dentier perdu, dimanche soir? Afin d'attirer son attention? «Possible», se dit la psy.

Marcel Cabana n'avait pas digéré son départ vers la République dominicaine. Il ne comprenait pas la sévérité de l'Ordre des psychologues et suggérait à Geneviève de «pratiquer quand même». Il avait même menacé de «terminer le travail de sa fille» et d'aller «vraiment péter la gueule de Sylvain Lemieux, qui avait porté plainte contre une femme qui mesurait cinq pieds six!».

— Ça va se régler dans une taverne, j't'en passe un papier!

Heureusement, ses enfants l'en avaient dissuadé.

Son amie Hannah ne lui avait pas répondu, mais le frère de cette dernière, Shérif, lui faisait une demande d'amitié. Il avait sans doute eu le message de sa sœur. Geneviève accepta aussitôt, curieuse, et vit apparaître un type dans la cinquantaine, chauve, un peu gras, qui portait d'épaisses lunettes. On était loin de l'ado en maillot Speedo de la piscine L'Acadie. Il se disait chirurgien et en couple avec un dénommé Roosevelt. Celui-ci était pompier, du moins si on en jugeait par ses nombreuses photos en uniforme.

L'une d'elles le représentait sur les lieux d'un sinistre, heureusement contrôlé, dont il ne restait qu'un tas de ruines, un petit chat lové dans ses bras musclés. C'était adorable. Il avait un corps absolument parfait, de ceux qu'on voit dans les calendriers de pompiers de bonne tenue, et non dans leurs sous-genres produits par certains organismes de charité chaque année.

Le couple habitait la région de Jonquière.

«Ils ont bien fait de se pousser loin!» Geneviève imaginait la tempête qui avait dû secouer la maisonnée Dajani lorsque le fils avait annoncé son homosexualité!

Il y avait aussi un message de sa copine Isabelle.

J'ai pensé à toi vendredi soir alors qu'on était tous réunis, la bande habituelle, au bar. Vraiment, je te comprends pas. T'avais pas besoin d'aller si loin pour te faire oublier, ou même pour travailler. Juste venir me donner un coup de main dans ma business, et t'aurais eu largement de quoi payer ton hypothèque.

«Sa business!», se dit Geneviève en soupirant. «Elle me voit en train de faire semblant de m'y connaître en huiles d'olive à cinquante dollars le deux-cent-cinquante millilitres, auprès de sa clientèle ultrasnob du marché Atwater? Je vivrais un syndrome de l'imposteur puissance dix. Au moins, ici, je dois user d'un peu de psychologie…»

Dis-moi pas que c'est à cause de Paul, poursuivait Isabelle. Il me semble que ça n'allait pas si fort que ça entre vous. Tu te souviens de votre dernier voyage en Gaspésie? Je te cite: «Le festival des horreurs.» Je crois que l'histoire de la femme de ménage, c'était un prétexte pour sortir de cette relation. Même si je dois te dire que je les ai croisés, l'autre jour, au Festival des films latino-américains. Ils avaient l'air très amoureux… Paul a fait semblant de ne pas me voir et il m'a ignorée. Quant au film, il était d'une platitude inouïe. Imagine La Neuvaine, *de Bernard Émond, mais en quechua de Bolivie, et avec des gens qui mâchent des plants de pissenlits pendant deux heures.*

«Merci beaucoup, Isabelle, de me donner ces détails, et surtout, de minimiser ma peine. Après tout, t'es mariée depuis vingt-deux ans et demi avec le même gars… Quant à la Gaspésie, essaie d'y passer une semaine sous la pluie, à douze degrés en juillet, et tu m'en redonneras des nouvelles…»

Geneviève poursuivit la lecture.

… Non, tu veux savoir ce que j'en pense, de ta fuite? Tu n'aimeras pas ça, mais je crois que tu répètes un vieux pattern… Je sais, je ne suis pas psy. Mais c'est trop évident. Ta mère a fait la même chose, non? Tout laisser tomber, abandonner ses enfants? Aller refaire sa vie à l'autre bout du monde? Penses-y, ma belle.

P.-S.: J'ai quand même bien hâte d'aller te voir dans ton resort. J'ai acheté mon forfait!

Geneviève rugit. Quoi? Comment sa meilleure amie pouvait-elle comparer son contrat de deux ans en République dominicaine, à la suite d'une injuste radiation professionnelle, à ce que sa mère avait fait quarante ans plus tôt?

Elle était outrée et se servit immédiatement un verre de blanc, malgré sa promesse d'y aller mollo en raison de la soirée qui l'attendait.

Sa mère, Claire Larochelle, avait effectivement levé les voiles, mais ses deux enfants n'avaient pas vingt et un ans comme les jumeaux, mais plutôt huit et dix ans. Et ce n'avait pas été pour deux ans, mais pour la vie.

Alors qu'elle suivait un cours du soir d'ethnologie amérindienne à l'UQAM, Claire avait eu un coup de foudre pour un étudiant inuit. Elle était partie vivre au Nunavik, où elle était devenue enseignante dans une école primaire. Elle n'était jamais revenue autrement que pour des vacances. Elle avait même été enterrée à Kuujjuaq, dix ans plus tôt, emportée par un violent empoisonnement alimentaire.

Luc et Geneviève la voyaient lors des congés scolaires. À Montréal ou dans le Grand Nord, un endroit que Geneviève n'avait jamais su aimer. Elle ne supportait pas les moustiques. Les grandes étendues sauvages et les paysages lunaires l'angoissaient. Aller au lit alors qu'il faisait encore soleil lui foutait le cafard. Elle y avait été une fois en hiver, alors que ses amies partaient pour un voyage humanitaire au Pérou, et avait cru atterrir en enfer tellement il faisait noir tout le temps.

L'endroit était surtout chargé en émotions. À l'époque, elle refoulait sa peine, mais des années de psychanalyse lui avaient fait découvrir par la suite à quel point le départ de sa mère l'avait anéantie. Chaque séjour était ponctué de moments de grandes tensions. Mais Claire Larochelle rayonnait de bonheur. Elle disait y avoir trouvé un sens à sa vie. Et l'amour. Son idylle avec l'étudiant qui l'avait amenée à Kuujjuaq n'avait pas fait long feu, mais elle était tombée amoureuse de l'infirmier de la communauté, Bob. Ils avaient ensemble coulé des jours heureux et paisibles.

«Non, je suis bien loin de ressembler à ma mère», se répétait-elle, toujours furieuse. Elle n'aurait jamais pu laisser les jumeaux, petits, plus des trois jours d'affilée que lui commandait sa garde partagée. Et puis, elle ne filait pas le parfait amour depuis quarante ans. Enfin, elle n'avait pas mis le cap sur le Grand Nord. Non, il s'agissait plutôt du Grand Sud...

— Est-ce que toutes les Québécoises sont comme ça ?

Gonzo était perplexe. Il s'était assis à côté de Geneviève, à la table où s'étaient installés quelques employés de l'hôtel, au buffet, exprès pour lui parler de Deuxième Retour.

Elle s'appelait en réalité Rachel, et son attitude le déconcertait. Elle le suivait toute la journée, le regardait à la dérobée, mais ne répondait même pas lorsqu'il essayait d'engager la conversation.

— J'essaie de faire baisser la pression, dit-il. Hier, elle me tournait autour dans la piscine, comme un requin… Abuela, elle me fait peur. J'ai déjà eu ici un mari jaloux qui me menaçait de mort, mais là, c'est pire.

Geneviève se dit que c'était sans doute le prix à payer pour s'offrir tant de femmes chaque semaine.

— Elle part dans cinq jours, lui dit-elle pour le rassurer. Je ne pense pas qu'elle va s'amuser à revenir ici très souvent. Mais j'avoue que c'est effectivement bizarre. Peut-être que le fait de te surprendre en train de baiser lors de son premier retour l'a plongée dans un genre de choc post-traumatique. Et que la seule façon pour elle de s'en sortir est de revenir sur les lieux du drame et de…

Gonzo l'interrompit en levant son verre afin de « célébrer cette merveilleuse soirée qui s'amorçait ».

Dehors, Arno entamait justement sa ballade amoureuse favorite, qu'il avait apprise à Cuba, *Fernanda*.

— Qui sera l'heureuse élue ce soir ? demanda Olessia, sourire en coin. La Croate ?

— Non, elle est prise avec des copines… Ce soir, je fais dans l'Italie. Et c'est pour ça que je mange des pâtes, dit Gonzo en engouffrant une fournée de spaghettis bolognaise, dont plusieurs restèrent en suspens sur son menton.

« Ce type est vraiment un abruti », se dit Geneviève.

De son côté, Olessia eut l'air vexé. Solidarité slave, sans doute.

Michèle, l'agente à destination française, demanda au maître-nageur le secret de sa réussite auprès des femmes.

— Ce sont ses cheveux! s'exclama Sylvia.

Gonzo venait d'ailleurs de faire refaire ses mèches, et le blond y était plus éclatant que jamais.

— Non… pas mes cheveux. On m'a lancé un sort, dit-il en souriant.

— Un sort? demanda Olessia, perplexe comme tous les autres convives.

Le don juan du complexe raconta qu'un jour, il y avait de cela plusieurs années, il s'était rendu à une séance de sorcellerie en montagne. Il était curieux. Là-haut vivait un homme, un Haïtien prénommé Fritz-Aimé.

— Freedzz comment? demanda Olessia.

Gonzo écrivit le nom du sorcier sur une serviette de table.

Celui-ci s'adonnait à une forme vaudouesque de sorcellerie. Lorsque Gonzo était arrivé, il faisait tournoyer une femme dans les airs. On ne voyait plus que sa robe, qui virevoltait à grande vitesse.

«Des derviches tourneurs», se dit Geneviève, qui avait vu une troupe d'Istanbul l'année précédente, à la Place des Arts.

Lorsque Fritz-Aimé cessa ses incantations, la femme retomba brutalement sur le sol. Gonzo reconnut une cliente de l'hôtel, visiblement sonnée. À l'issue de la cérémonie, cette femme, qui avait une peur maladive de prendre le métro dans sa ville d'origine, Hambourg, se disait guérie.

— Mais comment pouvait-elle le savoir? demanda Michèle. Elle n'était pas sur une rame de métro, mais dans un champ de canne à sucre, en pleine montagne…

Gonzo ne répondit pas. Visiblement, ce genre de détail ne l'intéressait pas.

— Toujours est-il que j'ai demandé à Fritz-Aimé de me donner du pouvoir auprès des femmes. Il m'a demandé de m'asseoir sur un talus et il a tourné autour de moi pendant trente bonnes minutes en criant, en chantant, en psalmodiant et en m'aspergeant de la fumée d'une concoction spéciale. Il m'a dit qu'il s'agissait d'un mélange de condoms et de plantes sauvages qui provenaient spécialement d'Haïti. Et depuis, ça marche comme ça avec les filles, dit-il en claquant des doigts.

Un murmure parcourut la tablée.

Ce qu'il ne dit pas et que confirmait pourtant une photo des employés de l'hôtel prise dix ans plus tôt, affichée dans le bureau de Sabrina Peres, c'était que Gonzalo Pablo Resurrección Fernandez, alias Gonzo, n'était alors pas le même qu'aujourd'hui. Il sortait de l'adolescence et en portait encore les stigmates, avec sa peau couverte d'acné. Il avait les cheveux bruns et gras, et aucun travail n'avait été réalisé dans sa bouche. Plusieurs dents y étaient portées manquantes. Il n'avait pas non plus commencé à sculpter son corps.

« Bref, la magie s'est opérée depuis, mais certainement pas celle de Fritz-Aimé », se dit Geneviève.

— Est-ce qu'il pratique encore dans la montagne? demanda Olessia.

— Bien sûr! Et je lui envoie régulièrement des clients de l'hôtel. Ils reviennent tous transformés…

Pavel et Piotr étaient Polonais. Mais c'étaient aussi des athlètes. Ce deuxième facteur l'emportait vraisemblablement sur le premier, car ils buvaient tous deux des jus d'orange au bar de l'hôtel, tandis que Geneviève et Sylvia en étaient à leur deuxième verre de blanc.

La conversation n'allait nulle part, et ce n'était pas seulement en raison de l'anglais limité des deux jeunes hommes.

Puisqu'elle rencontrait des joueurs de soccer, Sylvia s'était affublée d'une casquette de Manchester United, son club préféré. Elle disait qu'elle avait grandi à l'ombre d'Old Trafford, le stade mythique. Elle donnait son opinion sur la saison dans la Premier League anglaise, qu'elle suivait assidûment. Et s'indignait du fait que les riches émirats du golfe Persique étaient en train de ruiner l'âme des clubs anglais en les achetant avec leurs pétrodollars.

— Ils ont obligé Wayne Rooney à se faire greffer des cheveux! Depuis, il joue comme un pied.

Ça ne semblait guère émouvoir Pavel et Piotr.

Celui-ci montra sur son cellulaire le nouveau stade fraîchement construit dans sa ville natale, Wroclaw, où il jouait pour le club local, les Slask. Construit expressément pour l'Euro 2012, que la Pologne avait co-organisé avec sa voisine ukrainienne, la chose, blanche et ovale, ressemblait à un énorme pansement.

— Beaucoup d'argent? demanda-t-elle en frottant ses doigts les uns contre les autres. Comme tout Montréalais digne de ce nom, elle ne pouvait voir un nouveau stade sans s'imaginer que sa construction avait ruiné la ville, la province, voire le pays tout entier, et ce, pour les générations à venir.

Les deux jeunes hommes ne répondirent pas. Ils lorgnaient plutôt toutes les filles qui entraient et sortaient du bar. Sylvia décida de prendre les choses en main.

— Gene, un autre verre ? Les garçons, je vous rapporte un jus d'orange ?

Elle revint avec des verres bien remplis.

— Le serveur a ajouté un fruit local, le cruncha, dit-elle en tendant les verres aux Polonais.

— Cruncha ? demanda Pavel après sa première gorgée. Bon ! Bon cruncha !

Geneviève se demandait bien ce que pouvait être le cruncha, un fruit vraisemblablement inventé par son amie. Elle soupçonnait qu'il s'agissait plutôt d'un liquide alcoolisé. Le comportement des deux Polonais changea effectivement du tout au tout à mesure qu'ils enfilèrent les verres. Ils devinrent bruyants, hilares et, surtout, très affectueux.

Sylvia en profita pour embrasser à pleine bouche Pavel.

Piotr, les joues en feu, voulait faire de même avec Geneviève, mais celle-ci résistait du mieux qu'elle le pouvait. Il ressemblait trop à son Balthazar ! Elle proposa au jeune homme de l'accompagner prendre une marche à l'extérieur du bar. Cela allait sûrement diminuer les effets du cruncha, et chacun pourrait rentrer chez soi la tête haute.

Dans le hall, Piotr, titubant, s'approcha dangereusement de la fontaine. Même s'il ne s'agissait pas à proprement parler d'un client, du moins de Tour Exotica, Geneviève se sentait responsable du jeune homme. Elle était déterminée à le ramener à sa chambre.

Mais Piotr semblait hypnotisé par l'eau qui ruisselait de la fontaine.

Il la regardait comme s'il s'agissait de la huitième merveille du monde. Attendrie, Geneviève lui expliqua le procédé technique qui faisait en sorte que l'eau venait et revenait à travers un complexe système d'irrigation qui trouvait sa source dans des tuyaux, eux-mêmes nourris par les nappes phréatiques de l'île.

Soudain, Piotr, chancelant, s'appuya lourdement sur Geneviève. Celle-ci constata qu'un joueur de soccer était peut-être en constante agonie sur un terrain après une chiquenaude d'un joueur adverse, mais qu'il était très ferme et musclé dans la vie civile. Elle craignit pour son nombril. Sous le poids du sportif, elle perdit pied et tomba avec lui tête première dans la fontaine, sous les yeux horrifiés du personnel de l'hôtel.

Geneviève était catastrophée.

— Je vais être radiée de cet hôtel... Je vais être radiée de cet hôtel, se répétait-elle en essayant de se relever.

L'un des gardiens de sécurité, Jose Jesus, l'aida à se dégager de sa fâcheuse position, tandis que deux de ses collègues furent nécessaires pour extirper Piotr de la fontaine. Il se tortillait dans l'eau peu profonde comme un poisson sorti de son bocal.

— Je dois ramener ce client malade dans sa chambre, dit Geneviève, qui secoua son tee-shirt, qu'elle avait voulu un peu moulant histoire de la rajeunir, ainsi que sa jupe tout aussi trempée. Elle était convaincue que Jose Jesus ne ferait pas la différence entre du français et du polonais.

— C'est la première fois qu'une agente se retrouve dans une position pareille pour un client, lui dit-il, l'air désolé. C'est tout à votre honneur.

Les deux gardiens appuyèrent Piotr, encore plus lourd en raison de ses vêtements mouillés, sur l'épaule droite de Geneviève. Le Polonais était d'une pâleur extrême, avait la bouche ouverte, les yeux vides. En levant la tête, Geneviève faillit le laisser tomber lorsqu'elle aperçut le docteur Pierre Sansregret qui la regardait, l'air ahuri. Visiblement, il avait assisté à toute la scène.

Elle se sentait terriblement mal à l'aise.

Elle n'avait pas le choix, elle devait passer devant lui pour regagner l'aile D où logeait l'équipe polonaise.

Rouge et à bout de souffle, tenant toujours Piotr par la taille, elle salua son client favori et décida d'engager la conversation.

— Je vous présente... mon fils...

Piotr se mit à marmonner des phrases inintelligibles. Dans sa langue.

— ... mon fils polonais.

La mâchoire de Pierre Sansregret tomba.

— Vous avez un fils polonais?

— Oui... je vous expliquerai. Un... un accident de jeunesse...

Geneviève se souvenait de lui avoir parlé des jumeaux. Le gastroentérologue lui avait dit avoir deux filles, âgées dans la vingtaine et qui étaient sa fierté. Mais il n'avait jamais été question d'un fils polonais lors de leurs conversations.

— Je dois le ramener à sa chambre, il ne va pas bien.

— Je vous aide.

Là-dessus, Piotr émit un rot sonore et puissant.

— Il a des problèmes gastriques? demanda Pierre Sansregret. Vous voulez que je l'examine?

— Je crois qu'il a simplement trop bu.

Elle-même se sentait un peu chancelante. Après tout, elle avait bu l'équivalent d'une bouteille et demie de vin, sinon plus, si on comptait les consommations lors du souper.

— Est-ce que ça lui arrive souvent?

— Je... je ne sais pas. Piotr a été élevé par son père, à Wroclaw. Je vous raconterai...

Il lui était virtuellement impossible d'inventer une histoire polonaise crédible ce soir-là. De peine et de misère, ils arrivèrent à l'aile D. Geneviève ignorait dans quelle chambre logeait le jeune homme. Elle savait seulement que les U23 occupaient le rez-de-chaussée. Elle cogna à une porte au hasard et déposa le jeune homme devant, comme on l'aurait fait avec un couffin abritant un nouveau-né abandonné.

— Sa petite amie va répondre, nous ferions mieux de partir, dit Geneviève au docteur Sansregret. Une mère n'aime jamais assister à une scène de ménage entre son fils et sa bru!

Le gastroentérologue fronça les sourcils lorsqu'une voix forte, gutturale et masculine leur parvint de l'arrière de la porte. Geneviève fit comme si de rien n'était.

Et elle feignit de ne pas voir son amie Sylvia, accompagnée de Pavel, déambuler dans l'allée menant à son studio de l'aile A. Les deux étaient visiblement intoxiqués. Ils riaient aux éclats.

Geneviève salua le docteur Sansregret qu'elle voyait en double, puis rentra dans son studio.

Mercredi

— Je suis en congé!

«Et j'ai mal à la tête», aurait pu ajouter Geneviève, camouflée sous son grand chapeau et derrière ses lunettes soleil, mais néanmoins reconnaissable par ses clients.

— Vous devez aller voir Rosie au bureau de Tour Exotica, elle me remplace aujourd'hui.

— Je… je voudrais vous voir, vous. On m'a dit que vous étiez psychologue?

Elle reconnut l'épouse de l'homme qui cherchait un sorcier. Julie Turbide se présenta et expliqua à Geneviève que la veille, ils avaient visité Esperanza, la médium. Cela avait mis son mari en colère.

— Vous étiez prévenus… Elle coûte très cher.

— Ce n'est pas une question d'argent. Esperanza n'a pas pu entrer en contact avec mon beau-père, le père de mon mari, Arthur, décédé il y a cinq ans.

«La médium a pourtant prétendu le contraire», raconta par la suite Julie Turbide. En transe, elle avait même lancé un «TABARRRNAK» tonitruant, mais le reste n'avait dupé personne. Le pseudopère décédé ne disait que des banalités, et il fut très vite démasqué. Il faisait dire bonjour à sa femme, pourtant morte vingt-deux ans plus tôt, écrasée par une voiture rue Peel. Confrontée dans ses mensonges, Esperanza avait même eu le culot de prétendre qu'il s'agissait peut-être de sa maîtresse !

— Surtout, il n'avait rien à dire sur la vente de VisPro… ce qui est impossible.

— VisPro ?

VisPro était une PME dont la spécialité était de fabriquer des vis destinées à être vendues à des fabricants et à des réparateurs de tracteurs agricoles. Un bijou d'entreprise, disait Julie, qui avait été fondée par Arthur Dicaire cinquante ans plus tôt. Tous les enfants Dicaire y avaient travaillé, et Stéphane, le plus passionné, avait hérité de la présidence lors de la retraite du père, dix ans plus tôt.

— Mais voilà qu'un concurrent veut acheter VisPro. Il a fait une offre incroyable. Ça divise évidemment la famille, certains veulent vendre, d'autres pas. Stéphane est ambivalent. Certains matins, il veut dire oui, d'autres matins, non. Il est déchiré. Il a l'impression de trahir son père s'il vend. Voilà pourquoi il veut lui parler, lui demander conseil.

— Mais il est mort ! s'exclama Geneviève, dont le mal de tête était de plus en plus douloureux. Une gueule de bois sous les tropiques était multipliée par dix en raison de la chaleur et de l'humidité, constatait-elle.

Julie Turbide la regarda sévèrement.

— Il est mort, mais il est encore là ! dit-elle en regardant le ciel, en gesticulant en direction des cocotiers, et même en piétinant le sol avec ses gougounes, écrasant au passage des fourmis qui n'avaient rien demandé.

— J'ai fait tout mon cours de psycho, en effet, mais je n'ai jamais fait de théologie, lui répondit Geneviève. Je ne peux pas vous aider sur ce coup-là, je suis vraiment désolée.

— Écoutez, mon mari et moi avons fait le voyage ici parce qu'on nous a promis un sorcier, pas une diseuse de bonne aventure de catégorie B. On a fait rater une semaine d'école aux enfants! Et ils sont au privé, Madame, ils apprennent trois langues à la fois. Stéphane doit parler à son père!

Geneviève se rappela la conversation de la veille avec Gonzo, et ses prétendus pouvoirs sur les femmes qu'il aurait contractés grâce à un sorcier vaudou.

— Vous connaissez le type blond qui travaille à la piscine, Gonzo?

— Le beau frisé? Celui qui donne des cours de plongée?

Julie Turbide rougit légèrement, visiblement troublée.

— Oui, celui-là... Je crois qu'il pourrait vous aider. Il connaît tout le monde ici. Dites-lui que vous êtes une de mes clientes.

Fritz-Aimé ne connaissait peut-être rien aux fusions-acquisitions de PME, mais il saurait sûrement se débrouiller avec Stéphane Dicaire.

En retournant vers son studio, histoire de faire une sieste, Geneviève vit la docteure Thu vêtue d'un ample sarrau bleu, un masque sur la bouche, en train de courir à côté d'une civière, transportée au pas de course par quatre individus masqués. On y percevait une forme emmaillotée et gémissante.

En s'approchant plus près, Geneviève reconnut sa cliente, Myriam Lalumière.

— Docteure Thu?

— N'approchez pas, malheureuse!

Les yeux en amandes de la médecin trahissaient sa peur.

— Les boutons ont explosé… Nous avons trois autres cas à l'hôtel. Des femmes. Nous les transférons à l'hôpital en isolation. J'ai averti l'OMS de l'apparition, au Princess Àzul, d'éruptions cutanées d'origine inconnue. Ils suivent l'affaire…

De retour à son studio, Geneviève prit deux Tylenol, ferma les volets et s'affala sur son lit, en prenant bien soin de mettre l'alarme de son réveil une heure plus tard. Ne jamais dormir plus longtemps de jour, sinon ce serait l'insomnie la nuit suivante. De plus, elle voulait profiter de sa journée de congé pour aller à la plage.

Elle rêva à son père. Ils étaient tous deux dans sa quincaillerie du Centre Salaberry. Le modeste centre commercial faisait face aux Galeries Normandie, qui prenaient de l'expansion d'année en année. Un immense magasin Pascal y était installé et faisait concurrence à la quincaillerie de son père. Mais celui-ci avait une clientèle fidèle, qui soit préférait son service personnalisé, soit détestait les grandes surfaces.

La maison familiale de l'avenue Poutrincourt était à quelques pas de la quincaillerie, devenue à présent un supermarché libanais. Geneviève y avait passé des heures, au cours de son enfance puis de son adolescence, à aider son père à faire l'inventaire des vis, des clous, des ampoules, des pinceaux, des marteaux et des scies sauteuses. De doux souvenirs. Jeune adulte, elle avait travaillé aux caisses, ainsi qu'au « service à la clientèle », comme on appelait le petit comptoir réservé à cet effet.

Elle était persuadée que sa vocation de psychologue était née dans cette quincaillerie, alors qu'elle écoutait les clients raconter leurs histoires parfois drôles, parfois tristes, ou tentait de comprendre leur indécision vis-à-vis du clou à choisir, de l'intensité de l'ampoule, de la couleur de la peinture... Elle savait reconnaître les couples en instance de séparation, les vieux qui souffraient de solitude, les mères monoparentales dépassées qui n'y connaissaient strictement rien. Son frère Luc en avait fait sa spécialité.

Son coin favori était celui de la peinture. Elle était fascinée par la machine qui mélangeait les couleurs, manipulée par Roger, un employé qui semblait vivre dans la quincaillerie. Et encore plus par les noms psychédéliques qu'on attribuait aux couleurs : « Esprit vert », « Pain perdu », « Amourette », « Santa Ana », « Patte de chat », « Sabot de la Vierge », « Papier de riz » ou encore « Jeune phoque ». À l'école, elle s'amusait à faire deviner aux amis de quelle couleur il s'agissait. Elle avait un faible pour « Chapeau d'elfe », un vert presque blanc dont elle avait repeint toute sa chambre.

Mais dans son rêve, la quincaillerie était inondée d'un bon mètre d'eau. Le courant était fort, et le père et la fille tentaient en vain de fuir.

Pire, une vague de la hauteur d'un tsunami géant menaçait de tout ensevelir. Le bruit était assourdissant. Faisant du surplace malgré leurs efforts pour s'échapper, la vague les rattrapait et leur déferlait dessus. Geneviève se réveilla au moment où elle plongeait sous l'eau, tenant fermement son père par la main. Ce dernier, édenté, ouvrait la bouche à la manière des poissons...

« Sans doute cette histoire de dentier », se dit-elle, fripée et vaguement nauséeuse.

Elle se regarda dans le miroir : quelques petits boutons de chaleur, mais rien de semblable à ceux de Myriam Lalumière. Ses ridules au coin des yeux semblaient plus profondes. Sa nuit de beuverie avait creusé ses traits. Elle avait mauvaise mine. Vivement la plage.

Elle devait d'abord faire ses comptes. Hydro, Vidéotron, Bell, Rogers, Telus… Elle contribuait chaque mois à l'enrichissement des fleurons de l'économie canadienne. Puis, répondre aux courriels. L'un d'eux concernait justement son père. Il provenait de la résidence du Crépuscule bienveillant et demandait à Geneviève de rappeler sans faute au cours de la journée. Le message se terminait cependant sur une note rassurante : « Marcel Cabana se porte bien. Il s'agit d'une question administrative. »

— Quoi ? Le loyer n'a pas été versé ? Ça se fait pourtant de manière automatique.

Elle répondit qu'elle se trouvait en séjour professionnel à l'étranger, et que le mieux était de lui expliquer de quoi il en retournait par courriel. Elle évitait à tout prix le téléphone, qui coûtait cher, exception faite des appels qu'elle passait à son père. Il avait un ordinateur, mais n'avait jamais voulu entendre parler de Skype.

Elle décida de ne pas répondre tout de suite à son amie Isabelle. Elle était encore trop contrariée.

— Je suis en congé, Sabrina !

— Je veux juste que tu viennes jeter un coup d'œil là-dessus. On a un problème avec une de tes clientes.

La gestionnaire de communautés Web traîna Geneviève jusqu'à son bureau. Là, elle ouvrit le compte Twitter de l'hôtel. La psy poussa un cri d'effroi.

— J'ai crié moi aussi quand j'ai vu ça. Et monsieur del Prado Mayor aussi, ce qui n'est pas banal, lui qui est tellement stoïque…

L'allusion au grand patron du Princess Azul fit frissonner Geneviève. Mais ce n'était rien comparé au *tweet* posté par une dénommée @MyriamLalumière : *Au secours ! J'ai pogné ça au Princess Azul, en République dominicaine.* Suivaient des photos représentant d'horribles boutons purulents. Des choses indescriptibles qui donnaient la nausée. Même le filtre d'Instagram n'en atténuait pas l'effet.

Et pire encore : il y avait des centaines de *retweet*.

Sabrina Peres était catastrophée.

— Tu dois la contrôler, Rhénébièbé… Si elle doit être soignée, il y a la docteure Thu…

Geneviève lui expliqua que la malheureuse venait justement d'être transportée à l'hôpital par la médecin.

— Et elle n'est apparemment pas la seule à avoir ces boutons dans le *resort*…. Monsieur del Prado ne t'en a pas parlé ?

— Hmmm… Peut-être qu'il n'était pas au courant lorsqu'on s'est vus là-dessus ce matin. En tout cas, la bonne nouvelle, c'est que @MyriamLalumière est hors circuit. Il n'y a pas de réseau wifi dans les hôpitaux de la région.

— On n'a plus les Polonais qu'on avait, je peux te le garantir ! Avant que le mur tombe, ils pouvaient supporter trois bouteilles de vodka et honorer leur petite amie, même s'il y avait toujours ce spleen qui les accompagnait. Bordel, qu'est-ce qu'on leur fait bouffer? De la luzerne?

Sylvia ne décolérait pas. Elle avait subi ce qu'elle qualifiait de grave humiliation. Dès leur arrivée à son studio, Pavel s'était rué sur le lit et sitôt endormi. Il ne s'était réveillé que le matin suivant à huit heures. En réalisant où il était, il s'était levé, fébrile, et avait pris ses jambes à son cou.

— Il n'a pas voulu m'embrasser ni prendre un café, un thé, un *refill* de vodka, rien. Il s'est enfui comme un voleur. Mon dieu, est-ce que je suis si terrible que ça, ou bien c'est un malade? Ou un gai?

Geneviève jeta discrètement un coup d'œil sur sa collègue britannique. Elle était ce qu'il est convenu d'appeler une belle femme... de son âge.

— C'est un U23, Sylvia... Il était peut-être intimidé. Tu sais, les femmes couguars sont un phénomène nouveau. Et très occidental. Mais profite donc de ce petit paradis...

Car c'en était un. C'était Sylvia qui l'avait fait découvrir à Geneviève dès la deuxième semaine de son arrivée. Le secret le mieux gardé du coin: une crique située à une dizaine de minutes de marche de la plage principale, et qu'on atteignait après avoir escaladé des rochers visqueux. La plupart des vacanciers ne s'y aventuraient pas, si bien que l'endroit était presque toujours désert.

Geneviève admira la tenue parfaite de sa collègue anglaise: un paréo assorti à son maillot, un magnifique chapeau et d'élégantes sandales de plage. En toutes circonstances, Sylvia était toujours impeccablement vêtue. Geneviève, de son côté, se sentait inadéquate dès lors qu'elle enlevait l'uniforme de Tour Exotica. Elle avait apporté de Montréal des vêtements trop chauds, trop sombres. Ou trop beiges... «Tu as l'air de partir en safari», lui disait Sylvia. «Ou à des funérailles.»

Il faudrait bien qu'elle remédie à cette situation un de ces quatre.

En attendant, cette journée s'annonçait des plus relaxantes à l'ombre des cocotiers.

Geneviève avait apporté dans son sac de plage son sombre *thriller* islandais qu'elle n'arrivait pas à avancer. Le meurtre venait à peine d'être découvert. Elle avait aussi traîné plusieurs magazines, dont le numéro de *Châtelaine* laissé pour mort la veille par Deuxième Retour. Après l'avoir fait sécher, il était encore lisible, quoique rugueux.

Elle était en train d'en apprendre davantage sur une nouvelle génération de crèmes antirides lorsqu'elle entendit parler québécois. En se retournant, elle vit deux femmes en train de gravir péniblement les rochers visqueux. Elles riaient fort, et Geneviève entendit un «tabarnak» familier, celui de la première nuit dans le bus. Pas de doute, il s'agissait de Mélanie Trois et de Stéphanie. Les deux quadragénaires.

Geneviève s'enfouit le plus profondément possible sous son chapeau et prit un numéro du *Architectural Digest* en version espagnole qui avait été laissé au bar de l'hôtel. Sans doute par Federico del Mayor, s'était-elle dit, car il était du genre à lire ce magazine sophistiqué et de bon goût. Le *Châtelaine* aurait trahi ses origines. Or, elle voulait pouvoir observer ses deux clientes en toute discrétion.

Elles allèrent s'asseoir à l'extrémité de la crique, tout près des petits buissons qui fermaient la plage. À l'abri des regards. Geneviève arrivait tout juste à les distinguer. Elle en voyait cependant suffisamment pour constater que les deux femmes avaient enlevé le haut de leur maillot et se faisaient bronzer à l'européenne.

Elles n'auraient pas eu ce luxe au Playa Grand Sunset, se dit Geneviève. La plage était toujours bondée.

Elle se replongea dans la lecture de son magazine, fantasmant sur les exquis appartements de luxe, puis, n'y tenant plus, elle décida d'aller marcher sur la plage afin de s'approcher de ses deux clientes. Aucune ne s'était pointée à son bureau pour réserver quoi que ce soit, même pas le fameux resto japonais.

Geneviève déambulait nonchalamment, faisant semblant de s'intéresser à la faune qui peuplait le doux sable blanc. Arrivée devant les serviettes des deux filles, elle constata qu'elles avaient disparu. Elle regarda dans l'eau, il n'y avait qu'un couple qui barbotait joyeusement. Curieuse, Geneviève s'aventura discrètement en direction des arbustes. Elle escalada un petit talus, puis vit ses deux clientes, un peu plus loin, près d'un cocotier. Les deux femmes étaient enlacées et s'embrassaient à pleine bouche.

L'une d'elles, Stéphanie, l'aperçut et stoppa net son geste.

Confuse, gênée de se retrouver prise en flagrant délit d'espionnage, Geneviève battit immédiatement en retraite. Elle alla plonger dans l'eau chaude et turquoise de la mer des Caraïbes.

— Je peux te demander quelque chose, Gene... Comment ça, tu payais une pension alimentaire à ton ex-mari? C'est une blague? Tu l'avais rendu paraplégique et tu devais payer pour ton crime, c'est ça?

De retour sur le sable farineux de la petite crique, Geneviève entreprit de lui expliquer les subtilités de la loi québécoise en cas de séparation.

— On est dans une société très égalitaire, lui répondit la psy. Lorsqu'il y a une garde partagée, ce qui était le cas pour les jumeaux, les enfants doivent avoir le même niveau de vie chez leurs deux parents. Il fallait donc que je compense... Je ne pouvais quand même pas laisser Anne et Balthazar aller trois jours par semaine dans un trou! C'était tout ce que mon ex aurait pu se payer. Quand je te dis que c'est un artiste raté, je n'exagère pas.

— Balthazar, j'adore ce prénom! C'est pas un des trois rois mages?

— Oui, et j'ai dû me battre pour que la petite ne s'appelle pas Marie-Madeleine, comme... enfin, tu sais qui, la femme dans la Bible. Pas la mère de Jésus, l'autre. Celle qui se trouvait sous la croix. Bref, je trouvais que ça faisait trop concept. Heureusement, il n'y a pas d'Anne dans la Bible.

— Mais il y a beaucoup de sainte Anne... Juste en Angleterre, nous avons...

Sylvia partit dans une longue énumération de saintes britanniques portant le prénom d'Anne. Elle connaissait l'histoire de quelques-unes d'entre elles, mais déjà, Geneviève ne l'écoutait plus. Son esprit vagabondait. Elle attribua cette absence soudaine à son trouble du déficit de l'attention jamais diagnostiqué.

— ... et il y a eu toutes ces Anne qui sont sorties avec Henri VIII, officiellement ou non, poursuivait Sylvia lorsque Geneviève l'écouta de nouveau. Anne Boleyn, Anne de Clèves. Mais bon, elles étaient pas exactement des saintes. Et toutes les Anne de la royauté britannique, dont l'actuelle fille d'Elizabeth II, pas vraiment un pétard, mais elle ne cause pas de scandales non plus, et...

Geneviève se replongea dans ses rêveries.

Elle en fut tirée par une conversation tenue dans une langue qu'elle connaissait bien, désormais: celle inventée par les deux nouvelles quadragénaires. Mélanie Trois et

Stéphanie passèrent devant Geneviève en parlant très fort et en riant tout aussi bruyamment.

—Vous avez eu une belle journée de congé? Quel temps magnifique, n'est-ce pas? Quoique ici, c'est plutôt le contraire qui est rare…

Pierre Sansregret semblait de fort bonne humeur. Il était couvert de sable, les cheveux mouillés, le sourire avenant.

— Je me suis reposée, oui, merci, lui répondit Geneviève, elle aussi tout sourire.

— Et votre garçon? Il s'est bien remis?

Piotr… C'était vrai, il était devenu son fils.

— Oui, bien sûr, à son âge, on se remet vite de ses petits abus… Quel restaurant avez-vous choisi ce soir?

Elle voulait changer de sujet à tout prix.

— Je voulais retourner au resto japonais, mais votre remplaçante m'a dit qu'il était complet.

Il semblait sceptique.

— Je me suis donc rabattu sur le Royal Venetia. C'est bien italien, au moins?

— Oui, bien sûr. Le chef est espagnol, mais rassurez-vous, c'est délicieux.

— J'imagine que vous passez la soirée avec votre garçon? Dans quelle langue communiquez-vous?

— En… en anglais. C'est notre langue commune. Oui, je vais sans doute voir mon fils, quoique je sois bien fatiguée aujourd'hui, j'irai au lit très tôt, dit-elle en riant. Et vous, je vous vois demain matin? Je vous attends sans faute. Si vous arrivez tôt, vous aurez de la place au resto japonais.

— Qui sait si nous ne pourrions pas y aller ensemble?

— Euh…

Geneviève ne savait pas trop quoi répondre. Officiellement, cela lui était interdit. Mais qui s'en apercevrait? Les agents à destination avaient le droit de passer leur temps libre avec les membres de leur famille en visite. Qui prendrait alors le temps de vérifier si Pierre Sansregret n'était pas réellement son frère, son cousin, voire son ex-mari?

— Je… Ça me plairait bien, oui. Je ne sais pas si je pourrai me libérer, mais je vous le ferai savoir demain matin sans faute.

Cela lui laisserait un peu plus de douze heures pour soupeser le pour et le contre.

En entrant dans le restaurant du buffet, elle reconnut les uniformes caractéristiques des U23 polonais. Ils occupaient plusieurs tables, près des grandes fenêtres donnant sur la terrasse. Pour la deuxième fois de la journée, elle rabattit son chapeau plus profondément sur ses lunettes de soleil, qu'elle ne voulait surtout pas enlever même si elle ne voyait plus rien dans le restaurant. Pas question de croiser le regard de Pavel ou de Piotr.

À la manière d'une aveugle, elle prit un plat pour emporter, puis se dirigea rapidement vers le comptoir à salades. Elle fut stoppée net par un grand gaillard, qui tenait une caméra à la main.

— Je suis en train de filmer ma fiancée, pouvez-vous attendre un peu? demanda-t-il en anglais.

Une femme dans la trentaine donnait des explications à la caméra sur chaque plat du buffet. La salade aux pieuvres l'occupa deux bonnes minutes. Geneviève était exaspérée.

Elle put enfin avoir accès aux salades, dont elle se servit abondamment. Après tout, c'était santé et peu calorique. Ce soir, pas de social. Elle mangerait à son studio. Seule.

Une fois chez elle, elle mit les plats dans son petit frigo, vérifia la fraîcheur de sa bouteille de blanc, puis se fit couler un bain. Elle n'aurait jamais pensé tant apprécier ce rituel sous les tropiques, elle qui en prenait rarement, l'été, à Montréal. Mais c'était devenu son petit moment de détente.

Elle mit son iPhone sur son socle, sélectionna la section de jazz, et l'appareil choisit aléatoirement des morceaux de Miles Davis ou de John Coltrane; elle ne savait jamais duquel il s'agissait. Elle mettait ce genre de musique lorsqu'elle se sentait d'une humeur qu'elle qualifiait de « neutre », c'est-à-dire lorsqu'elle ne voulait pas se laisser emporter ailleurs que là où elle était. Le jazz la laissait froide. C'était pour elle un bruit de fond qui la maintenait dans l'instant présent, cet état qu'elle avait tenté d'apprendre à atteindre dans l'unique cours de méditation qu'elle avait suivi, le printemps précédent (elle s'y était ultimement endormie et s'était fait réveiller par un moine courroucé). Elle n'aurait ainsi pas envie de verser une larme comme lorsqu'elle écoutait des chants religieux, ni de faire du ménage comme sur du Moby.

Après son bain, elle mit ses vêtements d'intérieur, un t-shirt et un short mous et aussi sombres que le reste de sa garde-robe, se versa un verre de blanc, s'installa sur sa terrasse et entreprit de prendre ses messages.

Elle lut d'abord celui provenant de la résidence du Crépuscule bienveillant.

Madame Geneviève Cabana,

Nous sommes désolés de vous déranger durant votre séjour professionnel à l'étranger, mais comme première répondante de notre client, M. Marcel Cabana, il est dans notre obligation de vous informer d'événements récents.

Nous croyons que votre père, Marcel Cabana, a volé la prothèse dentaire amovible (communément appelée dentier) d'une autre pensionnaire.

Cette accusation n'est pas sans preuve, rassurez-vous : plusieurs pensionnaires de la résidence avaient remarqué que le dentier de M. Cabana avait tendance à se déboîter, et même à tomber à tout moment de sa bouche, comme cela est survenu lors d'une activité de bridge. Cela signifie que la prothèse dentaire est mal ajustée à la bouche qui l'héberge.

Or, une de nos pensionnaires, une dame âgée de quatre-vingt-douze ans, a signalé la perte de son dentier ce lundi.

Nos préposés ont poliment demandé à votre père s'il y avait une possibilité que son dentier ne soit pas le sien. Il a fortement nié et a même injurié un de nos employés. Mais une analyse de la prothèse nous a donné raison : on a retrouvé sur la deuxième prémolaire et la troisième molaire inférieures des taches indélébiles en forme d'étoiles inversées. Elles avaient été signalées par la pensionnaire ayant perdu son dentier.

Confronté à la réalité, votre père a alors déclaré que son propre dentier avait été dissous par un nettoyant corrosif dans la nuit de samedi à dimanche.

Nous avons demandé à un de nos pensionnaires, un chimiste à la retraite de Santé Canada, si cette dissolution était possible. Il nous a dit que les avancées de la science n'avaient pas encore permis pareil exploit.

Le denturologiste affilié à la résidence, le docteur Ephram Goldstein, sera de passage demain et viendra évaluer les besoins de votre père.

Nous avons aussi vivement suggéré à ce dernier une évaluation médicale complète, de même qu'une analyse neurologique et cognitive, afin d'évaluer si le passage du temps pourrait avoir provoqué quelques altérations, comme cela survient parfois.

Nous vous tenons au courant.

Cordialement,

Michel Simon

Gestionnaire de la clientèle humaine

Résidence du Crépuscule bienveillant

«Des altérations? Est-ce que ce monsieur Simon insinue que papa perd la raison?» se demanda Geneviève, très perplexe à la suite de la lecture du courriel.

Mais elle dut reconnaître que c'était bien en raison de quelques «absences» que Luc et elle avaient convaincu leur père, l'année précédente, de quitter la maison familiale de l'avenue de Poutrincourt pour aménager au Crépuscule bienveillant, situé dans le même quartier, au bord de la rivière des Prairies.

Ils avaient retrouvé des chaussettes dans le frigo et des pots de Nutella dans le panier à linge sale. D'ailleurs, c'était ce nombre imposant de pots de tartinade aux noisettes qui avait sonné l'alarme dans leur tête: une bonne trentaine, jamais ouverts, retrouvés partout à travers la maison, y compris dans les endroits les plus inusités comme derrière le bol de toilette. Balthazar avait même réalisé une série de petits sketchs sur ce thème, intitulés « Où est Nutella ? », une parodie de « Où est Charlie ? », ce qui était bien amusant, mais bon, ça ne réglait pas la source du problème.

Le pire avait été de faire le ménage dans l'atelier de Marcel Cabana. Lorsqu'il avait vendu la quincaillerie, il avait rapporté chez lui des tonnes de boîtes de vis, de clous et toutes sortes d'autres objets qui étaient en surplus d'inventaire. Certains d'entre eux dataient de plusieurs années. Geneviève y avait même retrouvé des décorations de Noël qui ne s'étaient jamais vendues, trente ans plus tôt, dont un père Noël qui ressemblait à s'y méprendre à un Bouddha avec la langue sortie. L'objet avait été parmi les premiers *made in China* achetés par la quincaillerie de Marcel Cabana, et les sous-traitants chinois s'étaient trompés lors de la production du personnage. Et même s'ils lui avaient ajouté en catastrophe une barbe blanche, ça n'avait trompé personne.

Cela dit, son père avait été toute sa vie un honnête homme, et Geneviève ne comprenait pas pourquoi il aurait ainsi pu dérober le dentier d'une nonagénaire.

Elle composa le numéro de la résidence et les quatre chiffres qui menaient au petit studio de son père. Celui-ci décrocha aussitôt.

— Papa ? C'est moi...

— Bonjour, ma fille... Est-ce que t'as eu le tsunami ?

Son père avait la diction pâteuse. « Toujours pas de dentier dans la bouche », se dit-elle.

— Le tsunami ? Quel tsunami ?

Elle croyait halluciner. Le matin même, elle était dans son rêve emportée avec son père par un tsunami. Dans son rêve. Avait-elle désormais des dons de voyance ?

— Il y a eu une alerte près de l'île Moustique, poursuivit Marcel Cabana. Est-ce que c'est dans ton coin ?

— Non, papa, il me semble que c'est loin dans le Pacifique, ça. J'étais en congé, aujourd'hui, alors j'ai complètement décroché des actualités.

C'était vrai. Lorsqu'elle était à son bureau, entre deux clients, elle avait le temps d'aller naviguer sur le Web et de connaître le sort du monde, mais aujourd'hui, il n'y avait rien eu de cela.

Elle ne savait trop comment aborder la question du dentier volé avec son père.

— Dis-moi, tu as retrouvé ton dentier ? Luc m'a dit que tu l'avais quand il est passé lundi.

Petit silence.

— J'ai pas voulu inquiéter Luc avec ça, il a assez de problèmes. Une amie, ici, m'avait prêté le sien quand il est passé. Mais imagine-toi que c'est confirmé : mon dentier a été dissous... pshhhhooouuu...

— Oui tu m'avais dit ça dimanche. C'est bizarre, quand même. Incroyable !

— À tout événement, j'ai jeté le liquide nettoyant. Pas envie de me faire détruire autre chose. Et on va me faire un nouveau dentier. En attendant, je sors pas trop trop. C'est un peu gênant, ma fille.

Elle imaginait son père en train de passer ses journées sur les sites de Rona ou de Home Depot, à savourer les nouveautés et à comparer les prix, son passe-temps préféré... Elle eut un petit pincement au cœur. Pour la première fois de sa vie, elle était physiquement loin de son père pour une bien longue période.

Elle le rassura en lui disant qu'il aurait certainement un nouveau dentier rapidement.

— Je te rappelle dans deux jours, papa.

Guidée par son humeur « famille », Geneviève entreprit ce qu'elle n'avait pas eu le temps, ou le courage, de faire depuis son arrivée au Princess Azul : installer ses cadres.

Anne et Balthazar, âgés de trois ans, assis dans l'herbe de la petite cour de la rue Boyer ; son père devant la quincaillerie, le jour de sa retraite ; les deux chats persans enlacés ; Anne lors de sa graduation, magnifique, et lors d'un voyage avec elle à New York, l'année précédente ; et Balthazar, quelques mois plus tôt, tout sourire devant l'une de ses toiles, une œuvre abstraite en noir et blanc intitulée *Joie et Chaos, mamelles obscures*. « Au moins, lui, il finit ce qu'il commence. Et c'est quand même pas mal, cette toile », se dit Geneviève, admirative devant ce beau grand garçon aux cheveux longs qu'il ramenait en toque sur la tête, à la manière des samouraïs. Il était brun comme elle, avec la même fossette sur la joue gauche, la bouche large, de grands yeux sombres, le menton carré.

Elle mit bien en vue une photo de la fête des cinquante ans de Luc, sur laquelle famille et amis étaient réunis chez elle, dans le jardin de l'avenue Champagneur, et une autre de sa bande d'amies de filles, prise lors de son souper d'adieu dans un resto éthiopien, deux mois plus tôt.

Un cliché pris au parc Lafontaine de sa mère en compagnie des jumeaux âgés d'environ douze ans complétait sa petite collection.

Rosie lui téléphona pour lui faire un bref compte rendu de la journée. Myriam Lalumière restait hospitalisée au Hospiten Bavaro, un petit hôpital ultramoderne situé un peu à l'extérieur de la zone touristique. Les médecins devaient faire plus de tests et réservaient leur diagnostic. La valise d'un client, égarée depuis l'arrivée dans la nuit de samedi, avait finalement été retrouvée au Playa Grand Sunset.

—Tu imagines? Ça a pris trois jours au type pour se rendre compte qu'il avait une valise en trop dans sa chambre! Et le comble, c'est qu'il avait utilisé une partie des vêtements du client!

Un autre couple s'était plaint du safari. Le deuxième en autant de jours, il faudrait bien faire quelque chose pour régler ça. «Ils ont parlé de pauvreté visuelle, j'avais jamais entendu cette expression-là!» lui dit Rosie avant de raccrocher. Elle devait aller se préparer, elle sortait ce soir-là. Demain, ce serait congé pour elle.

Après avoir mangé sa salade en regardant un jeu télévisé italien, Geneviève reçut enfin des nouvelles de son fils, moins assidu dans cette tâche que sa fille. Tout allait bien chez son père, rapportait-il, «même s'il est très bordélique».

Il mangeait comme un roi, cependant. «Grand-maman nous apporte des plats tous les jours. Elle est géniale.»

Rose-Desneiges! Geneviève sourit en imaginant son ex-belle-mère, qui avait tenu un petit resto toute sa vie, La Gaspésienne chantante, apporter ses succulents, mais ô combien caloriques repas à son fils et à son petit-fils. Geneviève avait toujours pensé que son ex-mari aurait sans doute mieux réussi dans la vie s'il n'avait pas eu une maman aussi généreuse et qui le nourrissait si bien. Mais comme belle-mère, on ne pouvait demander mieux que l'exubérante Desneiges.

Balthazar disait chercher un appartement avec ses copains Simon et Olivier «en attendant que le trois et demi de l'avenue Champagneur se libère».

«Dans vingt-cinq ans, oui», se dit Geneviève. Comme son fils était un défenseur acharné de justice sociale, pas question qu'il aille déloger l'un des deux locataires vivant au-dessus de l'appartement familial. Et ceux-ci y resteraient sans doute longtemps, vu le faible prix locatif.

Elle s'était laissée convaincre, quatre ans plus tôt, par un ami agent d'immeubles d'investir dans un triplex du quartier Parc-Extension. Le «futur Plateau», avait-il dit, ou était-ce la «nouvelle Petite-Italie» ou «l'ancien Villeray»?

En attendant sa gentrification, le quartier, enclavé entre la rue Jean-Talon, le boulevard L'Acadie, l'avenue du Parc et l'autoroute métropolitaine, la laissait perplexe. Un mélange urbanistique confus mariant bungalow d'après-guerre, duplex et conciergeries, la plupart du temps en piteux état et majoritairement habités par de nouveaux arrivants. Mais le quartier regorgeait de bons petits restos pas chers, une denrée de plus en plus rare à Montréal. Et l'appartement du rez-de-chaussée qu'elle habitait, vaste et lumineux, avait été rénové à son goût.

De plus, il y avait un autre indéniable avantage au quartier: Geneviève se faisait reluquer et siffler par des hommes de tous âges, essentiellement des immigrants du sous-continent indien. Ça lui faisait un baume au cœur. Après tout, ça faisait au moins vingt-cinq ans que ça ne lui était plus arrivé.

Jeudi

— Je crois… Je pense… En fait, je suis certaine que je souffre d'un trouble du déficit de l'attention jamais diagnostiqué.

— Toi ?

Sylvia gloussa dans son jus d'orange fraîchement pressé. Geneviève et elle s'étaient installées à une table du restaurant du buffet, un peu en retrait des autres. Toutes deux portaient un énorme chapeau et des lunettes fumées, histoire de ne pas être reconnues par leurs clients.

— C'est pas pour les enfants, ça ? T'es pas un peu vieille pour être inattentive ? Ou hyperactive ?

— Y a pas d'âge pour ça, Sylvia, répondit Geneviève. Quand des enfants sont atteints de TDAH, ça ne disparaît pas par enchantement lorsqu'ils atteignent leur majorité. Ça les suit toute leur vie. J'en ai eu plein en consultation. Mais c'était comme si je ne m'étais jamais vraiment regardée… En fait, j'ai plusieurs symptômes. Tu peux pas savoir l'effort que ça me demandait parfois d'écouter les histoires de mes patients !

— Pas besoin d'être TDAH pour trouver ennuyeuses les doléances d'un couple en instance de divorce ou les névroses d'un quinquagénaire.

— C'est plus que de l'ennui, Sylvia. Je pars dans ma bulle. Bien sûr, j'ai développé plein de trucs, sinon je n'aurais pas fait vingt-cinq ans ce métier-là… Mais regarde ma réaction avec mon client, tu sais, Sylvain Lemieux. C'est de l'impulsivité pure! Je suis une TDAH, Sylvia. Je dois bien l'admettre. Et me faire soigner.

La veille, raconta-t-elle ensuite à sa collègue, elle avait regardé avant de s'endormir un documentaire diffusé sur une chaîne espagnole. Il mettait en vedette une famille de Madrid dont le destin avait été hypothéqué par le TDAH. Plusieurs criminels, des petits délinquants, des décrocheurs, des alcooliques… La mère de famille avouait à la caméra n'avoir jamais pu lire une recette de cuisine jusqu'au bout. Une lacune typique des gens atteints du trouble du déficit de l'attention. Elle débutait la lecture, puis entreprenait la recette avant de la terminer. Le résultat était à tout coup catastrophique. «Je n'ai jamais réussi ma paëlla», répétait-elle en larmes.

La famille avait reçu un diagnostic collectif, et tout le monde était maintenant sous médication.

Le documentaire montrait un repas familial avant la prise des médicaments, puis après.

— La différence était ahurissante! dit Geneviève.

Avant le traitement, racontait-elle, tout le monde gueulait, se levait à tout moment, la nourriture avait l'air dégoûtante. Le grand-père, à moitié nu, chantait à tue-tête, et le chien hurlait; c'était le chaos.

Après… eh bien! c'était une famille normale. Pausée. Relaxe. Certes, il y avait plusieurs moments de silence et le grand-père somnolait sur sa chaise, mais au moins, il était maintenant décemment vêtu.

— Il était tellement poilu…

— Dans le genre téléréalité, Gene, je préfère *Enceinte sans le savoir, On a échangé nos mères,* ou encore *Accros aux coupons-rabais,* lui répondit Sylvia. On s'identifie moins.

— Mon dieu, quelle heure il est?

— Il n'est pas neuf heures, on a encore du temps...

— Non, j'ai un resto à réserver... pour moi... enfin, pour un client. On se voit plus tard!

Geneviève se hâta de se rendre à son bureau. Elle voulait réserver au resto japonais avant qu'il ne soit pris d'assaut. Dès neuf heures trente, il était impossible d'y trouver une place.

En chemin, alors qu'elle passait par l'arrière du bâtiment principal – un raccourci vers son bureau –, elle assista à une scène pour le moins inusitée : une douzaine de matelas étaient empilés dans un conteneur en feu. Des employés masqués les entouraient.

« Bordel, mais qu'est-ce qui se passe dans cet hôtel ? »

— C'est réservé !

Le docteur Sansregret s'était pointé au bureau de Tour Exotica dès son ouverture, à neuf heures. Il fit un large sourire lorsque Geneviève lui annonça que deux places avaient été réservées pour vingt heures, le soir même, au restaurant japonais.

— Et vous m'accompagnerez ? demanda-t-il, extatique.

— Oui... mais vous deviendrez, le temps d'une soirée, mon cousin.

Elle lui expliqua le code d'éthique de l'hôtel. Elle faisait exception ce soir, mais ce n'était pas dans ses habitudes.

— Alors je serai votre cousin Pierre! Côté paternel ou maternel?

Pierre Sansregret partit pour se rendre à ses activités de la journée, qui comportaient une séance de plongée en apnée et une excursion en montagne à la chasse aux papillons, nombreux cette saison de l'année. En l'absence de Rosie, Geneviève héritait de sa clientèle. Certains d'entre eux avaient aperçu, au loin, l'incendie des matelas et venaient aux nouvelles.

— C'est une façon de faire dans ce pays, répondit Geneviève, évasive. Les matelas se décomposent de cette façon, c'est plus écolo. Le stock est constamment renouvelé pour un plus grand confort. Vous êtes dans un quatre étoiles, alors…

— Mais il y avait des gens masqués qui les entouraient. C'est toxique?

— Nooon. C'est par précaution. Ne vous inquiétez pas.

Alors qu'elle avait cette conversation avec un couple de Laval, Sabrina Peres fit irruption dans son bureau.

— Nous avons une réunion urgente dans le bureau de monsieur del Prado. À propos de tu sais quoi…

— C'est difficile pour moi ce matin. Je suis seule au bureau. Rosie est en congé.

— Tu fermes le bureau et tu t'amènes. C'est une réunion au sommet. Pas le choix.

Geneviève comprit que l'heure était grave dès lors qu'elle entra dans le bureau de Federico Armando del Prado Mayor.

Docteure Thu était présente, de même qu'Alicia Flores, la directrice de la salubrité, ainsi que deux hommes que l'assistante du directeur de l'hôtel, Paloma, présenta comme des employés en poste sur l'île de l'OMS, l'Organisation mondiale de la Santé. Deux autres agentes à destination avaient été conviées : Romualda, représentante d'un tour opérateur brésilien, ainsi qu'Olessia.

— Nous faisons face à une épidémie d'irroupzionnnns cutanées…

Geneviève adorait la manière dont del Prado prononçait le mot « éruptions »…

— … d'origine inconnue. À ce jour, treize clientes de l'hôtel sont contaminées. Que des femmes, ce qui ajoute au mystère. Les boutons sont concentrés sur les bras, le torse, le cou et les oreilles. Elles ont été transportées au Hospiten Bavaro.

Son beau visage était tendu. Son teint tirait sur le même beige que la reproduction d'une toile suspendue derrière lui. Une œuvre déconcertante de Pablo Picasso, présentée dans la *Colleccion La ruptura cubista del espacio,* au Museo Reina Sofia. À Madrid, bien sûr. Del Prado affichait son espagnolisme jusque dans les moindres détails de son bureau.

Mais c'était à une salle du musée qui portait le même nom que le directeur, Le Prado, que Geneviève songeait en regardant l'air catastrophé de la petite assemblée réunie. Celle consacrée aux œuvres apocalyptiques du grand peintre espagnol Goya. Geneviève l'avait visitée quelques années plus tôt. Elle en avait gardé un souvenir plutôt terrifiant. Tous ces visages déformés, horrifiés, sombres, au bord de la démence…

— … Les médecins ont stabilisé leur état, poursuivit Federico del Prado. Ils ignorent l'origine du mal. Ce n'est pas un empoisonnement alimentaire, ce qui a rassuré notre chef, qui menaçait de démissionner sur-le-champ.

«Quel sale caractère, celui-là», se dit Geneviève en pensant au chef exécutif du Princess Azul, un Catalan du nom de Pep Bolufer, ébouriffé comme un diable et sentant la sueur rancie. Il était toujours en train de beugler.

— Certains médecins parlent d'une bactérie d'origine inconnue, poursuivit del Prado, d'autres d'un virus tout aussi mystérieux, d'une toxine. Et enfin, un médecin a parlé de contamination radioactive…

Geneviève, Romualda et Olessia laissèrent échapper un cri.

— … Mais rassurez-vous, cette théorie est peu plausible. En fait, le virus d'origine inconnue est plus que probable. Nous avons identifié le patient zéro, celui que nous soupçonnons d'avoir importé ce virus ici, au Princess Azul. Il s'agirait d'une cliente canadienne, Myriam Lalumière…

Sur ces paroles, Federico del Prado se tourna vers Geneviève avec un regard sévère. Tous les autres firent de même. La psy devint rouge écarlate.

— Que pouvez-vous nous dire sur Sainté-Foille, Madame Rhénébièbé?

— De quoi?

Il fallut que l'assistante de del Prado écrive sur un tableau le mot «Sainte-Foy» pour que Geneviève comprenne de quoi il s'agissait.

Immédiatement, la position géographique de la banlieue de Québec apparut sur un écran géant d'ordinateur. Tout le monde avait les yeux rivés sur l'image.

— De quel genre de village s'agit-il? demanda del Prado.

Geneviève ne savait pas trop par où commencer. Sainte-Foy n'était pas un village, mais plutôt une banlieue de la capitale, Québec, expliqua-t-elle à la petite assemblée. C'était devenu un arrondissement à la suite de fusions municipales réalisées quelques années plus tôt. Certaines municipalités fusionnées s'étaient par la suite défusionnées, mais pas Sainte-Foy.

Del Prado lui fit signe d'accélérer.

— C'est ce qu'on appelle une ville-dortoir, quoiqu'elle abrite une prestigieuse université, Laval. Il n'y a pas de trottoirs à Sainte-Foy.

— Peut-on imaginer que la patiente zéro ait été contaminée sur ce territoire? demanda l'un des médecins de l'OMS. Il faudra prendre contact avec nos collègues canadiens...

— Contaminée à Sainte-Foy? arriva à balbutier Geneviève. Des images surgirent dans sa tête : des bungalows enneigés, le terminus Voyageur, le centre commercial Place Sainte-Foy, le restaurant Beaugarte... D'ailleurs, existait-il toujours? Elle se souvenait d'y avoir passé une fin de soirée lors d'un congrès, quelques années plus tôt...

— Y-a-t-il des favelas dans cette région de Sainté-Foille? demanda l'autre représentant de l'OMS. Nous savons que certaines pandémies mondiales trouvent leur origine dans des lieux où se côtoient, dans la promiscuité, des humains et des bêtes. Nous pensons surtout à des poules ou des porcs, dans des conditions hygiéniques déficientes...

— Non, il n'y a pas de favelas ou de bidonvilles à Sainte-Foy, répondit Geneviève, qui se croyait dans un mauvais vaudeville. J'ignore même s'il y a des HLM. Et certainement pas des animaux de ferme. Le maire les interdirait, c'est certain.

Geneviève entreprit de présenter succinctement au petit groupe le maire de Québec, le flamboyant Régis Labeaume, classé quatrième meilleur maire au monde selon un organisme britannique. Sainte-Foy faisait partie de son royaume.

— Croyez-moi, il ne permettrait pas la présence de poules ou de porcs sur son territoire, autrement que dans son assiette. Il a d'ailleurs déjà fait de la publicité pour une rôtisserie, c'est le plus loin qu'il est allé, dit Geneviève en poussant un petit gloussement.

Elle était nerveuse et fut prise d'un fou rire.

Mais personne ne trouvait ça drôle.

— On commence à parler d'éclosion de boutons mystérieux au Princess Azul sur Twitter, dit Sabrina Peres d'un air grave. C'est une catastrophe. Rappelons que c'est la patiente zéro, Myriam Lalumière, qui, la première, a exposé les siens sur le réseau.

À ces mots, Federico del Prado fit une grimace. « Même avec le visage ainsi tordu, il reste séduisant », se dit Geneviève.

— Au moins, quand j'étais à Cuba, soupira-t-il, ce genre de problèmes ne se retrouvait pas sur les réseaux sociaux. Les dictatures ont leurs avantages.

Paloma avait entretemps cherché Sainte-Foy sur Google Earth, et tous regardèrent les images qui défilaient devant eux sur l'écran d'ordinateur. Le Centre de la petite enfance Aux mille pattes apparut, puis des bungalows proprets. À la vue d'un Golden retriever blond tenu en laisse par un passant, Geneviève fut prise d'un nouveau fou rire incontrôlé. On n'entendait plus dans le bureau que ses hoquets étouffés. Larmoyante, en proie à de petits spasmes, elle faisait des sons presque animaliers. Elle avait enfoui son visage dans le coquet foulard tricolore qui complétait sa tenue de Tour Exotica.

Geneviève était horriblement mal à l'aise. Elle connais-sait bien cette réaction psychologique qui consiste à rire dans des moments tragiques, comme cela arrive parfois dans les salons mortuaires. Elle essayait de penser à un événement triste survenu dans sa vie. Le corps inanimé de Polux, son chien fox-terrier gisant dans la cour de la maison familiale, victime d'un infarctus, lui vint en tête.

Après plusieurs minutes à penser à la mort de Polux et à revivre la peine qu'elle avait ressentie trente-cinq ans plus tôt, Geneviève réussit à cesser de rire et à relever la tête. Elle détourna son regard de l'écran géant qui projetait toujours des images de Sainte-Foy. Puis, elle croisa le regard glacial de Federico del Prado. Cela lui fit l'effet d'un choc électrique.

— Continuons, dit le directeur sur un ton sec. Sur la recommandation de l'OMS, l'équipe sanitaire d'Alicia Flores a brûlé ce matin les matelas, ainsi que les vêtements des personnes infectées. Les chambres ont été décontaminées. Le niveau de chlore dans la piscine est au maximum de ce qui est jugé sécuritaire. Nous avons jugé inutile d'alerter l'ensemble des clients, à moins que la situation ne devienne hors de contrôle. Chaque nouveau cas m'est personnellement rapporté, et le bureau-chef à Madrid suit la situation de près. Nous souhaitons tous, dit-il en posant son regard sur Geneviève, un retour à la normale le plus rapidement possible.

De retour à son bureau, Geneviève sentit une grande fatigue l'envahir. Un fou rire nerveux était aussi épuisant qu'une crise de larmes, constatait-elle.

Elle se sentait surtout terriblement mal à l'aise. Son comportement dans le bureau du directeur avait été totalement inadéquat. Quel manque de professionnalisme! Elle avait lamentablement échoué à montrer d'elle-même un côté rationnel et sérieux, ce qu'elle considérait qu'elle était dans la vie. N'avait-elle pas élevé quasiment seule des jumeaux? Chaque fois que le téléphone sonnait, elle craignait que l'assistante de Federico del Prado ne lui annonce qu'elle était renvoyée sur-le-champ du Princess Azul. Rentrer à Montréal avec ce nouvel échec sur le dos? Cette idée la terrorisait.

Elle regardait à présent les bras et le torse de tous les clients qui passaient par son bureau, inquiète d'y voir apparaître des boutons monstrueux. Pour se changer les idées, elle alla visiter le site Web de son ex-belle-mère, *labonnebouffe.com*.

C'était le refuge idéal pour calmer ses angoisses, avec des recettes riches et réconfortantes. Les photos du dernier ragoût de pattes de cochon de Desneiges accentuèrent cependant les brûlures d'estomac qui tenaillaient Geneviève.

Elle fut agréablement surprise de constater que le site de sa belle-mère avait de nouveaux annonceurs. Il y avait une pub pour la Honda Accord et une autre pour une école de soudure.

«Apparemment, quatre-vingt-cinq pour cent de mes visiteurs sont des hommes, et la majorité d'entre eux a moins de trente ans», lui avait confié Desneiges. «C'est le *jackpot* pour les annonceurs.»

Une erreur d'orthographe lui avait cependant sans doute valu cette notoriété inattendue. En enregistrant le nom de son blogue, Desneiges avait malencontreusement écrit «*labonnetouffe.com*», au lieu de «*labonnebouffe. com*». Aussitôt, un achalandage important avait pris le site d'assaut, provoquant même des engorgements la première semaine, avant que Desneiges ne réalise sa méprise. Son représentant publicitaire lui avait alors conseillé de conserver les deux entrées, «histoire de maintenir cette jeune clientèle».

Desneiges, qui avait elle-même élevé cinq garçons, était ainsi devenue une deuxième mère pour plusieurs de ses jeunes visiteurs. Non seulement ils la consultaient pour des recettes, mais ils lui confiaient aussi leurs problèmes, petits comme grands. Desneiges prenait conseil régulièrement auprès de son ex-belle-fille quant aux réponses à donner à certains messages parfois inquiétants.

Ce matin, un dénommé Alex-William avait justement envoyé un message sybillin: «Elle est partie, kâlisse.»

Desneiges lui avait aussitôt envoyé un lien vers une de ses recettes spéciales de pain de viande.

En regardant sur le site une photo d'un assortiment de sorbets, Geneviève repensa à son rêve de la nuit précédente. Après son père emporté par un tsunami, c'était sa mère qui avait meublé son sommeil agité. Un rêve récurrent: enfant, elle partait en motoneige avec Claire, Bob et d'autres personnes non identifiées à travers le Nunavik. Elle était assise derrière sa mère. En pleine toundra, elle tombait de la motoneige sans que personne ne s'en aperçoive. Elle avait beau crier, gesticuler, le petit groupe s'éloignait à toute vitesse. Elle était seule dans la nuit polaire, grelottante, terrorisée à l'idée de mourir gelée ou dévorée par une horde de loups blancs.

Et puis, les lumières réapparaissaient au loin, on entendait les moteurs des motoneiges. Geneviève était sauvée. Chaque fois, un nouveau personnage, souvent sans rapport avec l'histoire, débarquait, triomphant, de la motoneige.

Cette nuit-là, il s'agissait de Sylvain Lemieux.

Indifférent au froid polaire, son ancien client portait la même tenue que lors de ses séances chez la psy, à savoir un pantalon en velours brun et une chemise beige.

En se réveillant, Geneviève avait très mal pris cette information.

«Mieux vaut crever gelée dans la toundra ou dévorée par les loups que de me faire ramasser par cet abruti», s'était-elle dit en se levant, dégoûtée.

Elle ruminait ce mauvais rêve lorsque Olessia se pointa dans son bureau.

— C'est horrible, ces boutons, lui dit-elle en français, une langue qu'elle parlait fort bien comme une demi-douzaine d'autres. Ce sont mes clientes russes qui sont atteintes… ce qui ne me déplaît pas du tout! ajouta-t-elle en souriant. OK, c'est une blague. Mais tu sais, nous, les Ukrainiens, on n'aime pas beaucoup les Russes…

— À cause de Tchernobyl? demanda Geneviève, qui avait été traumatisée, à l'époque, par l'accident nucléaire incontrôlable survenu dans l'opaque bloc soviétique. Elle était alors au début de la vingtaine. Elle se souvenait que le nuage radioactif avait empoisonné Kiev, la capitale de l'Ukraine.

— Tchernobyl, les pogroms, les famines, les massacres… Tu as l'embarras du choix.

Geneviève avait en tête des images de corps empilés les uns par-dessus les autres en noir et blanc. Elle frissonna.

— Mais bon, c'est quand même terrible, ces boutons, répéta Olessia. Je n'ai jamais vu ça en cinq ans à destination. Imagine si on se fait tous évacuer? Ou pire, mettre en quarantaine?

— Brrr… fit Geneviève, qui lui suggéra d'aller manger. Il était midi, c'était l'heure de prendre une pause.

Malgré l'extrême chaleur de cette journée d'octobre, Francisco était couvert de la tête aux pieds. Il avait l'air aussi découragé que la veille devant sa table de bijoux invendus.

— T'as pas chaud habillé comme ça, Francisco?

— Je crois que je commence une grippe, Rhénébièbé.

— Tu devrais peut-être rentrer chez toi, lui dit Olessia d'un air compatissant.

— Tu as vu tout ce que j'ai à vendre? lui répondit Francisco en lui montrant les bracelets, colliers et boucles d'oreilles qui attendaient un meilleur destin que celui de rôtir au soleil.

«Tu as vu comme ils sont laids, tes bijoux?» se dit Geneviève, qui ne s'habituait pas à la nouvelle pierre choisie par Francisco pour orner ses bijoux.

— Tu me le fais à combien, ton bracelet? demanda Olessia.

Geneviève regarda sa collègue avec étonnement. Elle allait vraiment acheter ça?

— Pas cher pour toi, Guapa… trente-cinq dollars américains.

— Je te paye en pesos… Disons mille pesos?

— Mille deux cents et on n'en parle plus.

Olessia sortit son portefeuille et lui donna l'argent, en échange d'un bracelet de couleur rougeâtre, immense… et hideux.

En route vers le restaurant, Olessia lui avoua qu'elle avait eu pitié du vendeur.

— Imagine, il est là toute la journée, en pleine chaleur, à vendre ses bijoux... Et puis ce bracelet est pas mal, non? Il va très bien aller avec ma robe beige.

— Oui, il est pas mal, mentit Geneviève.

Elle n'avait qu'une envie: se jeter dans la piscine, tête première. La chaleur était telle que traverser l'immense territoire aquatique de Gonzo, ce midi-là, était un calvaire. Le *playboy* était d'ailleurs dans l'eau, entouré d'une demi-douzaine de femmes de tous les âges. Elles tournaient autour de lui comme s'il était aimanté. Il avait sans doute le meilleur emploi du complexe hôtelier avec les gars des voiliers...

Deuxième Retour était à sa place habituelle, sur une chaise longue. Elle ne prenait même plus la peine de faire semblant de lire un magazine, elle dévisageait ouvertement Gonzo et son petit groupe. Son bronzage, ou du moins ses rougeurs, ne s'était développé que sur la partie avant de son corps, puisqu'elle passait ses journées assise dans la même position.

Geneviève décida de l'aborder. Après tout, c'était une cliente. Et elle devait s'assurer que cette femme conserverait sa santé mentale tout au long de la semaine.

— Vous allez bien, Rachel? Je ne vous ai pas encore vue au bureau pour des réservations. Je vous recommande chaudement, comme à toute ma clientèle, notre restaurant japonais, le meilleur à l'extérieur de Tokyo! Faites vite, nous serons déjà vendredi, demain.

Rachel la dévisagea avec avidité, comme s'il s'agissait de la première conversation qu'elle avait depuis son arrivée au Princess Azul, ce qui devait être le cas.

— Je vais très bien, merci! Ce sont les plus belles vacances de ma vie. Pour les restos, je vais y penser. Mais sachez que je suis allergique au gluten, aux noix, aux poissons, à toute la famille des moutardes, aux produits laitiers et céréaliers, et qu'en plus, je suis végétarienne. Et je vous épargne mes autres allergies non alimentaires!

— J'avoue que c'est compliqué, en effet, répondit Geneviève. Le buffet est sûrement plus sécuritaire, vous pouvez choisir vous-même vos plats...

— Oui, mais je ne me fie pas non plus à leur nourriture, le personnel semble ignorer ce qu'elle contient. En tout cas, personne ne me répond lorsque je leur parle. Il faut dire que c'est en français, c'est peut-être ça le problème...

— Oui, peut-être, répondit Geneviève avec un large sourire, inquiète de savoir comment s'alimentait Deuxième Retour depuis le début de la semaine.

— Ce n'est pas une semaine facile pour moi...

Olessia était attablée avec Geneviève dans un coin, à l'ombre du resto du buffet. Des vacanciers bravaient la chaleur extrême et s'étaient installés en plein soleil pour manger. Geneviève avait la nausée juste à les regarder.

— Il y a ces horribles boutons, et j'ai des clients croates insupportables, dit Olessia en avalant délicatement une petite salade maigrelette. Ils veulent se faire rembourser parce que selon eux, la mer des Caraïbes est ennuyeuse à mourir et que leur Méditerranée est mieux... Ils soutiennent avoir été bernés. N'importe quoi. Mais ce sont des clients d'un nouveau tour opérateur devant lequel je dois me mettre à quatre pattes. Et puis, il y a ma mère...

— Ta mère? Qu'est-ce qu'elle a?

Geneviève eut une vision de son père en train de dérober le dentier d'une nonagénaire et se dit que ça ne pouvait pas être pire.

— Elle ne va pas bien... Elle m'a téléphoné hier, il devait être deux heures du matin à Kiev, et elle m'a dit qu'elle allait mourir dans l'heure qui suivrait, et que c'était inutile de me déplacer car j'arriverais sans doute trop tard... J'ai totalement paniqué, j'ai raccroché, puis téléphoné aux urgences à Kiev. Un médecin m'a rappelé quelques heures plus tard, je te dis pas la soirée que j'ai passée, et il m'a annoncé que maman avait fait une crise d'angoisse. Selon lui, c'est la quatrième fois qu'elle rentre à l'urgence pour ça depuis deux mois. Et je n'en ai rien su!

Olessia était outrée.

— Elle est restée longtemps à l'urgence? Je veux dire, avant de voir un médecin? Chez nous, ça peut prendre des jours...

Olessia ne comprenait pas trop la réflexion de Geneviève.

— Non, elle est rentrée à l'urgence, alors c'était urgent, un médecin l'a vue urgemment.

«Laisse tomber», se dit Geneviève. «Je ne vais pas lui faire un cours sur le système de santé québécois.»

— Donc, maman souffre d'angoisse, et moi, je suis à des milliers de kilomètres. Tu peux pas savoir comment ça me rend triste. Elle a de la difficulté avec mon éloignement. Je lui ai bien expliqué: «Maman, il n'y a pas de *resort* en Ukraine, en tout cas pas comme le Princess Azul, et c'est là que je veux travailler!» Je ne sais plus quoi faire, Geneviève, elle peut péter une nouvelle crise d'angoisse n'importe quand. Crois-tu que son cœur peut vraiment lâcher dans ces moments-là?

Avec ses cheveux blonds ultrafins, son front bombé, ses pommettes saillantes et ses lèvres minces, Olessia était le prototype de la beauté slave. Elle rappelait à Geneviève le personnage de Polonaise tourmentée qu'interprétait Meryl Streep dans le film *Le choix de Sophie,* tatous des camps de concentration en moins.

— Mourir pour vrai d'angoisse? Je n'ai jamais vu ça dans ma pratique, lui dit Geneviève. Mais les médecins vont sûrement lui donner des calmants, tu ne crois pas?

— Maman est réfractaire à toute forme de médication. Ça lui vient de son enfance. Elle pensait toujours que les Russes cherchaient à l'empoisonner, elle et ses camarades de classe, en leur faisant avaler des vitamines.

— C'est arrivé?

— Je ne crois pas, non.

Au moins une horreur en moins dans les relations agitées entre l'Ukraine et le géant russe.

— Tu sais, ça va pas fort de mon côté non plus. Mon père fait des choses étranges. Il a volé le dentier d'une pensionnaire de sa résidence pour vieux, imagine-toi.

Olessia ne saisissait pas le mot «dentier», aussi Geneviève lui parla-t-elle de «dents artificielles», tout en mimant le geste d'extraire, puis de reposer des dents dans la bouche.

Olessia la regardait d'un air étonné.

— C'est dur pour nos vieux parents, laissa-t-elle tomber en soupirant.

À ce moment-là, un jeune homme vêtu de l'uniforme désormais familier des U23 s'approcha de leur table. Geneviève baissa la tête dans son assiette et fit semblant d'être absorbée par un morceau d'avocat.

Olessia et son client parlèrent pendant quelques minutes, puis le joueur de soccer rejoignit son groupe rapidement, au grand soulagement de Geneviève.

— Ils sont mignons, quand même, dit Olessia, l'air attendri. Tu sais ce qu'il me demandait? S'ils pouvaient pratiquer leur foot cet après-midi sur les terrains de tennis, qui sont inutilisés à cette heure-là de la journée, tu sais, avec cette chaleur ...

«Trop *cutie*», se dit Geneviève.

— Imagine-toi qu'ils ont eu un petit scandale dans leur équipe, hier... Deux des joueurs sont rentrés complètement saouls après leur couvre-feu. L'un d'eux est même arrivé le lendemain matin. Ils n'ont pas le droit de boire d'alcool, encore moins de courir les filles...

— Ils ne sont pas en vacances? demanda Geneviève sur le ton le plus neutre au monde.

— Pas vraiment... C'est un genre de retraite avant un tournoi majeur dans quelques semaines. Et les deux gars, tu sais ce qu'ils ont dit au *coach*? C'est un des jeunes qui m'a raconté ça. Ils lui ont dit qu'ils avaient été intoxiqués par deux vieilles!

Geneviève faillit cracher la gorgée d'eau pétillante qu'elle avait en bouche. Le liquide monta jusqu'à ses orifices nasaux et fut éjecté disgracieusement par ses narines.

— Excuse-moi, j'ai mal avalé cette gorgée, c'est un peu dégoûtant, dit Geneviève. Des vieilles, quel genre de vieilles?

— Je ne sais pas... Pour des gars de vingt ans, c'est genre passé cinquante ans, j'imagine, peut-être soixante... Ils ont parlé d'une Anglaise et d'une Italienne. Toujours est-il que le *coach* les a plus ou moins crus. Ils ont dû faire trois kilomètres de jogging et deux cents redressements assis, hier, en plein soleil, à plus de trente-cinq degrés! Tu imagines? Apparemment, l'un des deux a failli tomber dans les pommes.

Geneviève espérait secrètement que ce fût Pavel, et non Piotr, son «fils»… Elle avait des remords. Elle avait été la complice de Sylvia et avait corrompu deux jeunes athlètes de haut niveau.

— Bon, on doit retourner travailler, ma belle.

En apercevant Sabrina Gomes qui faisait le pied de grue devant son bureau, le sang de Geneviève se figea. «Pas encore la "patiente zéro" qui fait des siennes sur Twitter, j'espère», se dit-elle. Elle n'était pas à moitié morte à se gratter les boutons, dans un hôpital sans réseau wifi, bordel?

Mais il ne s'agissait pas de la malheureuse Myriam Lalumière, apprit Geneviève sur le chemin du bureau de Sabrina.

— Des Canadiennes, encore elles, prétendent que nous séquestrons deux de leurs amies ici, au Princess Azul! Apparemment, ce sont des clientes à toi.

Geneviève savait exactement de qui il s'agissait. Encore le quatuor de quadragénaires qui n'acceptaient pas la défection de leurs deux amies.

Sur la page Facebook, elle reconnut la photo de Mélanie Deux, qui s'appelait dans les faits Mélanie Dupré. Celle-ci avait laissé plusieurs commentaires sur la page du Princess Azul de Punta Cana.

— J'ai pas tout compris, Google Traduction est confus avec certaines expressions, mais j'ai saisi l'essentiel, lui dit Sabrina en poussant un lourd soupir.

Il y avait quatre interventions, et le ton montait chaque fois.

— *Oye Oye, ne vous retrouvez pas malgré vous au Princess Azul, ils vont vous SÉQUESTRER! Et la police s'en fout, câlisse.*

— *PRISONNIÈRES au Princess Azul! Nous sommes un groupe de six BF qui sont allées fêter leurs 40 ans à Punta Cana, et deux de nos amies sont retenues contre leur gré au Princess Azul, un hôtel À MARDE.*

— *Selon le consulat canadien en République dominicaine, CE N'EST PAS LA PREMIÈRE FOIS que des Québécoises se font enlever au Princess Azul de Punta Cana. Ils pensent que c'est la traite des blanches! Aidez-nous à retrouver Mélanie et Stéphanie!*

— *M'EN VA METTRE UNE BOMBE drette-là au Princess Azul de Punta Cana pour qu'ils libèrent mes amies Mélanie et Stéphanie.*

Le pire, c'était que des internautes répondaient aux lamentations de Mélanie Dupré et que le terme «traite des blanches» revenait de plus en plus souvent.

— Je vais lui répondre, Sabrina.

— Tu lui dis qu'on va la poursuivre pour diffamation si elle continue comme ça! Et pour menace terroriste.

Geneviève lui expliqua ce qu'il en était de la situation de ces quatre femmes, de leurs visites à l'hôtel pour chercher leurs copines qui, elles, ne voulaient rien savoir. Elle lui parla même de leur usage d'une langue imaginaire et de leur baiser passionné. Sabrina ouvrait grand les yeux.

— Elles font un genre de fugue mentale, je ne sais trop comment analyser ça, et elles ont comme décroché de la réalité. À moins qu'elles aient eu un coup de foudre l'une pour l'autre, ça s'est déjà vu, même quand on se connaît depuis une éternité, et qu'elles sont dans une phase «nous contre les autres», je ne sais pas. Il faudrait que je les voie en cabinet... enfin, à mon bureau, mais elles fuient dès que je m'approche.

Geneviève envoya aussitôt un message privé à Mélanie Dupré.

Madame Dupré, nous nous sommes rencontrées à deux reprises au Princess Azul. Notre établissement ne retient pas prisonnières vos deux amies, Mélanie Patterson et Stéphanie Aubut. Elles sont libres de leurs mouvements et semblent en pleine santé physique. Vous devez cesser immédiatement d'écrire des mensonges sur le compte Facebook du Princess Azul, et encore plus de proférer des menaces. Le prochain message que vous recevrez ne proviendra pas de moi, mais bien des avocats du Princess Azul, ainsi que de la police de Punta Cana.

Sur ces mots, Geneviève eut une pensée pour le chien Chorizo, qui serait sans doute appelé sur les lieux d'une arrestation qui impliquait une menace d'attentat à la bombe. Elle se demanda, attendrie, si le berger allemand vivait en permanence dans le petit aéroport, ou s'il avait une vraie famille qui l'attendait après sa journée ou sa nuit de travail.

— Merci, Rhénébièbé. J'espère que ça va la tenir tranquille.

Geneviève venait de mettre les pieds à son bureau lorsque Rachel, alias Deuxième Retour, s'y pointa. Le reflet des néons sur son visage accentuait cruellement ses cernes, creusait ses traits et verdissait son teint. Elle frissonnait dans la fraîcheur de l'air climatisé, et Geneviève voyait ses poils noirs hérissés sur sa chair de poule. «La nature a été sadique à son endroit», se dit-elle en lui demandant gentiment comment elle pourrait l'aider.

— Je souhaite m'inscrire à l'activité de plongée en apnée dans la piscine, dit-elle en remontant exagérément sa lèvre supérieure, qu'elle avait lourde.

«Avec Gonzalo Resurrección», se dit intérieurement Geneviève. Quelle surprise...

Elle fouilla dans son ordinateur pour dénicher une place pour le jour même : plus rien. Les agents entraient au fur et à mesure les réservations dans un logiciel, et on savait à la minute près ce qu'il restait de disponible dans la multitude d'activités offertes au Princess Azul.

— C'est complet aujourd'hui, voulez-vous que je regarde pour demain ?

Rachel redressa à nouveau sa lèvre supérieure, et Geneviève entendit un «oui».

Complet aussi, constata Geneviève en passant à travers toutes les plages horaires du vendredi. Plus de quatre-vingt-dix pour cent des inscrits étaient en fait des inscrites. Elle regarda la journée de samedi : il restait une seule plage disponible, à midi trente.

— Je la prends! dit Rachel, qui grelottait de plus en plus. Son corps tout entier était secoué de spasmes incontrôlés, et ses lèvres bleuissaient.

Le jeudi, à la fin de sa journée de travail, Geneviève avait pris l'habitude d'aller prendre un verre sur la terrasse de la piscine avec Michèle et Arno/Renaud, avant que celui-ci ne commence son tour de chant. Ça lui faisait du bien de parler français.

— Tu as entendu parler de cette épidémie de boutons, Geneviève? demanda Michèle.

— Tu parles... J'ai une cliente qui est apparemment la patiente zéro, la première à avoir développé ça. Pour l'avoir vue, je peux te dire que c'est vraiment horrible. Mais je suis certaine qu'elle a attrapé ça ici. La fille vient de Québec, c'est quand même pas là qu'un virus inconnu s'est développé!

— Le Québec... J'aimerais tellement y aller, l'interrompit Arno.

— Tu n'as jamais été y chanter? demanda Michèle en souriant, toujours convaincue qu'il s'agissait bien du vrai Renaud.

— Non, mais j'en rêve. Je voudrais faire la tournée des festivals, il y en a beaucoup là-bas, n'est-ce pas Geneviève? On m'a parlé de poutines, de folklore indien, de camions... Et l'été, est-ce que ça craint comme en hiver?

— Nooon. L'été, il fait chaud comme ici.

Ils étaient tous les trois en sueur. Cette journée avait été l'une des plus torrides que Geneviève avait vécues depuis son arrivée. Malgré sa protection UV 35, sa peau avait pris un teint caramel qui ne lui déplaisait pas. «Et puis, je passe pour une Italienne aux yeux d'un jeune Polonais», se dit-elle, «c'est un beau compliment, quand même. Même s'il s'agit d'une Italienne sexagénaire.»

— Il me manque deux joueurs pour le *show* de demain soir... Ça vous tente pas, une de vous deux?

Michèle et Geneviève déclinèrent. Tous les vendredis, Arno organisait un spectacle qui mettait en vedette les employés de l'hôtel. Ceux qui le désiraient pouvaient chanter, danser, faire des acrobaties, raconter des histoires ou présenter de petits sketchs. Geneviève était trop timide pour tenter le coup.

On y voyait souvent les mêmes protagonistes. Gonzo y interprétait à tout coup une chanson d'amour, sous les applaudissements et les cris du public féminin. Un couple de cuisiniers venait y faire une danse lascive. Une ex-gymnaste bulgare, embauchée par un voyagiste américain, venait y montrer tout son savoir-faire, salto avant, arrière, pirouette renversée, etc. Il arrivait que Sylvia s'amène au micro pour raconter des blagues dont la plupart tombaient à plat : elle traduisait en espagnol de l'humour anglais. Même Geneviève, bon public, convenait que ça ne fonctionnait pas.

— J'ai une surprise pour le *show* de demain… Je crois qu'aucune d'entre vous ne l'avez encore entendu, car il ne nous fait l'honneur de sa présence sur scène que deux fois par année…

Michèle et Geneviève le regardèrent, curieuses.

— Notre président directeur-général, monsieur Federico Armando del Prado Mayor en personne, viendra interpréter de l'opéra.

— De l'opéra ?

Geneviève n'en croyait pas ses oreilles. «Quel être sophistiqué, quand même», se dit-elle en imaginant le séduisant Madrilène sur scène, en train de chanter des airs sans doute dramatiques.

— Oui, ma chère… Et c'est à la fois surprenant et très intense. Il chante des extraits d'une œuvre espagnole, demande-moi pas le nom, mais il m'a expliqué que ça s'inspire d'une toile de leur peintre, Goya...

— Ce fou tourmenté? demanda Michèle.

Geneviève frissonna. Elle se revit le matin même dans le bureau du directeur, en plein cœur d'une scène qui lui avait rappelé, justement, une toile du peintre de l'apocalypse... Le choix de cet opéra avait le mérite d'être au diapason de la situation inquiétante dans laquelle baignait le Princess Azul, victime d'une mystérieuse épidémie.

— J'ai visité il y a quelques années, à Madrid, une salle complète qui lui était consacrée au Prado, justement, comme le nom de notre directeur, dit Geneviève. J'en ai eu des cauchemars... Comment ce peintre pouvait-il voir la vie par le bout d'une lorgnette si noire? Tous ses personnages ont l'air fous, déments, diaboliques... Il devait être profondément dépressif, peut-être même sociopathe.

L'arrivée du beau Gonzo dissipa ses visions de l'enfer vu par Francisco de Goya.

Il apportait un nouveau pichet de bière pour toute la tablée des *Francèses,* comme il les appelait.

— Qu'est-ce que tu nous chantes demain, Gonzo? demanda Arno.

— *I've got you under my skin*, de Frank Sinatra, *mi amor,* répondit le bellâtre avec un accent anglais épouvantable.

Gonzo avait les yeux injectés de sang, et des plaques blanches apparaissaient sur sa peau, qui craquelait tellement qu'elle était desséchée. Ses cheveux avaient l'air d'être passés à l'eau de Javel... Geneviève se rappela les paroles du directeur de l'hôtel, le matin même : monter le niveau de chlore de la piscine au maximum sécuritaire au cas où des porteurs du virus auraient la mauvaise idée d'aller y barboter. Visiblement, ses ordres avaient été suivis.

Elle faillit annoncer à Gonzo qu'il allait avoir sa cliente favorite dans la piscine samedi, mais se retint. Pourquoi gâcher sa bonne humeur?

Sur le chemin du retour, elle croisa Julie Turbide, l'épouse de Stéphane Dicaire, qui semblait préoccupée, à la recherche de quelque chose ou de quelqu'un.

— Ah! Geneviève...

— Ça va, Julie?

— Ça va, sinon que je cherche mon mari! dit-elle en souriant, ce qui n'atténuait en rien sa nervosité. Il a passé l'après-midi à faire de la plongée en apnée, et il devrait déjà être rentré...

— Ça vous inquiète? demanda Geneviève, intriguée. Vous savez, il ne peut pas arriver grand-chose dans ce *resort*, c'est ultrasécuritaire.

— Je le sais bien, je m'inquiète pour rien. C'est que... Stéphane est un peu fébrile depuis son arrivée au Princess Azul, il se met beaucoup de pression pour cette communication qu'il doit avoir avec son père, il veut retourner à la maison avec une décision prise et...

Julie Turbide semblait hésiter à poursuivre.

— ... Et? Vous avez contacté l'homme que Gonzalo Resurrección vous a recommandé? Celui qui vit dans la montagne?

— Oui... et c'est là le problème, mon mari semble complètement obnubilé par lui. Il passe ses soirées et une partie de la nuit à consulter le site Internet de Fritz-Aimé, à entendre les témoignages de ses clients... Et ça parle dans toutes les langues, en chinois, en grec, en anglais... Stéphane écoute ça comme s'il comprenait ce qui se disait. Je ne sais pas comment vous expliquer.

— Il l'a vu?

— Non, pas encore. C'est demain le grand jour. Il a rendez-vous en début d'après-midi. Fritz-Aimé envoie un taxi. Je vous dis que c'est pas donné, tout ça...

La femme se frotta le pouce et l'index.

— Enfin, si ça peut apaiser un peu Stéphane, ça n'aura pas de prix.

— Et vos enfants aiment-ils leur séjour? Malheureusement pour eux, ce n'est pas le meilleur moment de l'année pour rencontrer d'autres jeunes, ils sont tous à l'école.

— Les miens passent une partie de leur journée à étudier, justement. Pas question qu'ils reviennent au collège avec du retard. Cet après-midi, ils se tapaient trois heures de mandarin, pauvres petits...

— Ils apprennent le mandarin?

— Bien oui, c'est la langue de l'avenir. L'espagnol, c'est *out*.

Sur ce, Julie Turbide aperçut son mari au loin.

— Le voilà! Bon, je vous laisse.

Geneviève eut le temps de lui demander l'adresse Internet de Fritz-Aimé, curieuse de voir de quoi avait l'air le site du fameux sorcier vaudou.

Elle fit un arrêt au studio de Sylvia avant de rentrer chez elle. Son amie anglaise lui avait promis de lui prêter quelques vêtements moins « mortuaires » pour sa soirée au resto avec le docteur Sansregret.

Le hic, c'était que les deux femmes n'avaient pas la même taille. Sylvia était petite et menue, et Geneviève faisait près de cinq pieds six pouces, avec un gabarit se rapprochant plus d'une joueuse de tennis que d'une ballerine. Elle avait d'ailleurs adoré jouer à la balle. Et se cherchait un partenaire depuis son arrivée au Princess Azul, où l'on retrouvait une vingtaine de terrains dans la partie est du complexe, la plupart du temps vide.

— Tiens, cette blouse va t'aller, elle est moins ajustée que les autres, lui dit Sylvia, qui lui tendit un vêtement jaune canari avec de fines rayures blanches, ainsi qu'un verre de rosé espagnol.

— C'est pas un peu trop... voyant ?

— Justement, il est temps que tu sortes de ton noir, gris et beige, tu porteras ces couleurs-là dans ta tombe, mais en attendant, mets un peu de couleur... Tu es brune, *damn it*, elles te vont toutes bien ! Moi, avec ma peau de blonde, je dois toujours être très prudente pour ne pas avoir l'air folle.

Geneviève remarqua que son amie avait accroché au mur, dans un cadre géant, la photo d'un magnifique poupon au teint chocolat et aux immenses yeux noirs.

— C'est... ton petit-fils, Hannibal ?

— Oui, susurra Sylvia, attendrie. Le plus beau bébé de la planète, n'est-ce pas ? Regarde, il n'a que trois semaines sur cette photo, et on dirait qu'il a déjà tout compris... Tu as vu son regard ? *My God*, je le vois déjà à Oxford.

Lorsque Geneviève était arrivée au Princess Azul, en septembre, Sylvia revenait tout juste de sa première visite à son petit-fils, né quelques semaines plus tôt à Londres, premier enfant de sa fille unique, Electra.

L'éducation non conventionnelle de cette dernière avait beaucoup intrigué Geneviève. Sylvia avait eu sa fille lors d'une affectation aux Bahamas. La petite était le fruit d'une relation avec un cuisinier de l'endroit, Anderson.

Les jeunes parents avaient fait un bout de chemin ensemble, travaillant sur plusieurs îles des Caraïbes, jusqu'à ce que Sylvia décide de rentrer à Manchester, le temps que la petite fasse son école primaire. Sa relation avec Anderson s'était alors étiolée. Il s'était lassé de la vie dans les hôtels de luxe et était rentré chez lui, à Nassau, pour ouvrir un garage.

Après six années sous la pluie du nord de l'Angleterre, n'en pouvant plus, Sylvia était retournée dans ses îles chéries des Caraïbes. Electra avait été inscrite dans un collège de Nassau, près de la résidence de son père, tandis que sa mère travaillait dans un des innombrables complexes hôteliers de l'archipel.

À dix-huit ans, la jeune fille était partie étudier à Londres, où elle vivait depuis. Elle s'était mariée quelques années plus tôt avec un courtier de la City.

— Je ne sais pas comment elle fait pour vivre à Londres, dit Sylvia en se servant un deuxième verre de rosé. C'est une ville fascinante, OK, mais la température… Comment peut-on supporter ça? Electra est plus anglaise que moi, ça, c'est certain!

Sa fille était une vraie beauté, comme cela était fréquent chez les rejetons de couples mixtes. Mère et fille semblaient proches malgré leur distance géographique, ce qui rassurait Geneviève, toujours torturée par l'idée que ses enfants s'éloignent d'elle au cours des deux années qu'elle allait passer au Princess Azul.

Geneviève avait jeté la blouse jaune canari sur le lit de son studio, pas du tout convaincue qu'elle lui allait si bien que cela. Mais Sylvia avait raison : il fallait qu'elle oublie les couleurs neutres, inappropriées dans cet endroit éternellement ensoleillé, à la lumière éblouissante.

Depuis la révélation des dons lyriques de Federico del Prado, Geneviève était obsédée par la vision du ravissant directeur général entonnant de sa voix forte et virile un air d'opéra.

Curieuse et sceptique à la fois, elle tapa sur Google les mots « opéra », « Goya » et « espagnol ». Et tomba, à son grand étonnement, sur la page Wikipédia de l'opéra *Goyescas,* œuvre en un acte et trois tableaux d'un dénommé Enrique Granados.

L'opéra était inspiré de la toile *Le pantin* de Francisco de Goya. On y voyait, dans les couleurs sombres typiques du peintre, un groupe de quatre femmes plutôt joyeuses propulsant dans les airs, à l'aide d'un drap, un pantin désarticulé, la tête dangereusement pendante.

« Est-il mort ? » se demanda Geneviève en observant l'étrange tableau, tout en essayant de comprendre comment cette œuvre avait pu inspirer un compositeur, au début du siècle dernier, au point qu'il tricote une histoire autour.

En gros, le pantin n'était qu'un prétexte pour que les véritables protagonistes, Pepa, Paquiro, Rosario et Fernando, se provoquent, se jalousent et se bagarrent avec, ultimement, un mort par l'épée. Quel personnage le directeur du Princess Azul allait-il interpréter ? Geneviève espérait qu'il ne s'agirait pas de Fernando, mort à la suite du cruel duel à l'épée dans les bras de Rosario, folle de douleur.

Elle alla sur iTunes Store afin d'écouter ce à quoi pouvait ressembler l'opéra et s'y préparer mentalement. Malheureusement, l'œuvre *Goyescas* était devenue une suite pour piano, et personne ne semblait en avoir enregistré la version opéra. Ou du moins, iTunes n'en avait pas entendu parler.

Une fenêtre de conversation s'afficha sur son compte Facebook : son frère était en ligne. Ça tombait bien, elle se demandait bien ce qu'il advenait du dentier de leur père.

— *Le Crépuscule bienveillant m'a téléphoné. Papa a un dentier dans la bouche et ils prétendent que c'est pas le sien. Sont fous ou quoi ?*

— *Crépuscule m'a écrit mercredi pour me dire que papa a volé un dentier,* répondit Geneviève. *Mais ils l'ont récupéré, alors pourquoi ils t'envoient ça ? Papa en aurait volé un autre ? ? ?*

— *J'en perds des bouttes, là…*

— *Te raconterai… Je contacte Crépuscule et te reviens. À part ça, comment vas-tu ?*

— *Bien. Je prépare grosse manif de ramoneurs samedi contre Kyoto. Ma business est en péril. T'en reparle, je dois filer. M'en vais m'entraîner.*

Geneviève était soulagée que la conversation se termine ainsi. Elle n'avait pas envie d'entendre les détails de ce nouveau délire de son frère. Une manif contre Kyoto parce que la Ville voulait empêcher l'installation de nouvelles cheminées à bois ? N'importe quoi !

En allant lire ses courriels de la journée, elle vit un nouvel envoi de la résidence du Crépuscule bienveillant qui datait de la fin de l'après-midi. Elle ressentit la même appréhension que lorsqu'elle recevait un coup de fil de l'école secondaire de son fils, lui annonçant une nouvelle indiscipline, des travaux inachevés ou une absence non motivée. Papa avait sans doute encore fait un mauvais coup.

Madame Cabana,

Nous espérons que vous allez bien et que votre séjour à l'étranger se passe au mieux.

La situation se complique avec votre père, monsieur Marcel Cabana.

De nouvelles prothèses dentaires sont apparues dans sa bouche, ce matin. Nous avons pu le constater lors du déjeuner. Comme le docteur Goldstein ne passait à la résidence que ce midi, il était impossible qu'il ait pu lui fabriquer et lui apporter un nouveau dentier AVANT cette visite.

Nous nous sommes informés auprès de votre père, pensant au départ qu'il avait retrouvé le dentier qu'il avait cru dissous dans la nuit de dimanche à lundi. Nous nous en réjouissions à l'avance.

Votre père nous a confirmé qu'il avait retrouvé ses prothèses dans une armoire, un petit oubli qui arrive souvent chez nos pensionnaires.

Malheureusement, cette théorie du «tout est bien qui finit bien» a rapidement été annulée par l'arrivée d'une de nos pensionnaires les plus âgées (97 ans). Agitée, la vieille dame nous a expliqué tant bien que mal (vous comprendrez rapidement pourquoi nous saisissions difficilement ce qu'elle disait), «qu'un saint était venu la visiter dans la nuit et avait emporté son dentier avec lui pour le présenter à Dieu».

Intrigués, nous lui avons demandé qui était ce saint mystérieux. Elle a décrit un homme âgé, portant la barbe («comme saint Augustin», a-t-elle précisé) et vêtu d'un pyjama à rayures bleues et jaunes. Après vérification, votre père, barbu, portait cette nuit-là ce vêtement.

Une fois de plus confronté à la possibilité que son dentier ne fût pas réellement le sien, monsieur Cabana, qui avait malheureusement entendu la conversation avec la pensionnaire dans notre salle à manger, a soutenu qu'il avait trouvé le dentier ce matin dans le corridor de la résidence et cru qu'il s'agissait du sien. «C'est un miracle», n'arrêtait-il pas de répéter.

Notre pensionnaire âgée a refusé de reprendre son dentier, disant que le sien avait été emporté dans l'au-delà.

Nous en sommes là, malheureusement, Madame Cabana. Nous devrons établir une marche à suivre concernant votre père. Différents tests devront être faits.

Sachez que le docteur Goldstein a tout de même pris ses empreintes afin de lui constituer de nouvelles prothèses dentaires amovibles. La mention «ultra-urgente» a été mise dans son dossier. Nous devrons aussi fabriquer un nouveau dentier pour notre pensionnaire de 97 ans, ce qui occasionnera des coûts supplémentaires à la famille de cette dernière.

Nous vous tiendrons au courant des développements. En attendant, nous avons aussi contacté votre frère.

Et c'était signé par Michel Simon, le gestionnaire de la «clientèle humaine».

Geneviève était franchement inquiète. Elle répondit rapidement à Michel Simon, lui fixant un rendez-vous téléphonique pour le lendemain matin. Au diable la dépense, il fallait sortir son père de ce pétrin. Elle se demandait si son départ pour Punta Cana avait précipité ces excès de délinquance, ou s'il fallait mettre ça sur le compte d'une détérioration de sa santé mentale. En dehors de Luc, qui avait la tête ailleurs, qui pourrait bien prendre le relais à Montréal? Les frères et sœurs de son père étaient plus ou moins dans le même état. Il y avait bien tante Monique, la sœur de sa mère, qui avait toujours été très proche de Marcel (trop, même, aux yeux de Geneviève, qui avait longtemps soupçonné une idylle entre eux) et qui pourrait peut-être intervenir. Elle habitait l'Île Paton, à Laval. Un pont seulement la séparait de la résidence du Crépuscule bienveillant. Il fallait la contacter au plus vite.

Sa copine Isabelle s'inquiétait, dans un nouveau courriel, de son silence et lui demandait «si elle était fâchée». «Ben non, Chose, j'ai adoré ta dernière psychanalyse concernant ma "fuite" similaire à celle de ma mère», se dit Geneviève. Elle lui répondit quand même, histoire de ne pas créer de malentendus. Elle en avait assez comme ça avec son père. «Pas fâchée mais très occupée, je te reviens plus tard.»

Il était temps qu'elle aille se doucher, afin d'arriver fraîche et dispose à son rendez-vous avec Pierre Sansregret.

Un coup de fil de sa collègue Rosie remit momentanément son plan.

— Salut, ma belle! Comment s'est passée cette journée sans moi au bureau? Geneviève lui raconta brièvement la réunion d'urgence du matin au bureau du directeur général, l'identification de la patiente zéro et les soupçons d'insalubrité pesant sur la ville de Sainte-Foy. Elle entendit rire à l'autre bout du fil.

— Mais ils déconnent, à l'OMS!

— C'est ce que je leur ai dit. N'empêche que cette histoire est très préoccupante. J'observais tous les clients aujourd'hui, j'avais peur qu'on ait un nouveau cas. Olessia a des Russes contaminées, et Romualda en a plusieurs dans son groupe de Brésiliens.

—Trop bizarre... Mais parlant de bizarreries, tu sais qui j'ai vu aujourd'hui au centre commercial, en ville ?

Par « ville », Rosie parlait de Bavaro, la petite ville qui englobait la « Punta Cana », la pointe où étaient installés les hôtels et villas de luxe. Les membres du personnel du Princess Azul profitaient souvent de leurs journées de congé pour aller flâner dans l'immense et moderne centre commercial, où ils trouvaient de tout, même un cinéma, mais à des prix souvent prohibitifs. Les rues marchandes de Bavaro offraient des boutiques plus accessibles, mais peu intéressantes. Y marcher relevait de l'exploit. Là, loin de la côte et de sa brise perpétuelle, il y faisait en effet une chaleur accablante. Tandis qu'au centre commercial, on vivait dans la clim...

—Tu sais, tes deux filles supposément disparues, les quarante ans en fête...

—Oui, Mélanie Patterson et Stéphanie Aubut... Elles étaient au centre commercial ?

—Demande-moi plutôt ce qu'elles y faisaient...

Rosie restait silencieuse au bout du fil, laissant monter la tension dramatique.

—Quoi ? demanda Geneviève.

—Tu connais la boutique La bella novia ?

Geneviève se souvenait vaguement d'une boutique de robes de mariées un peu kitsch, fréquentée par des touristes venus se marier à Punta Cana et qui avaient soit oublié leurs vêtements de noces chez eux, soit les avaient perdus dans les transits, soit ne les aimaient simplement plus. Il y en avait aussi qui avaient tout simplement décidé, la veille, de se marier.

—Eh bien, tes clientes étaient plantées dans la vitrine, à côté des mannequins en plastique, et étaient toutes les deux habillées avec des robes de mariées. Et pas des plus discrètes, je peux te le dire. Et elles se tenaient par la main.

— Hein?

Geneviève essayait de s'imaginer la scène et y parvenait péniblement. Une séance d'essayage à deux dans la vitrine?

— Il y avait un petit attroupement devant la boutique et des touristes chinois, je crois, qui prenaient des photos. Ils devaient penser que c'était un genre de *staging*, je ne sais pas trop. En tout cas, quand je suis repassée par là, une bonne trentaine de minutes plus tard, crois-le ou non, elles étaient encore là!

«Un genre d'exhibitionnisme», constata la psy en Geneviève, «mais pour montrer quoi et à qui?»

— J'imagine qu'une des deux va se marier à son retour à Montréal, tenta-t-elle de raisonner. Ou le soleil leur a tapé fort sur la tête...

— Ce qui est le plus bizarre, continua Rosie, c'est qu'elles ne sont jamais allées rejoindre leurs copines avec qui elles avaient organisé ce voyage. À leur place, je serais en furie...

— Elles le sont, crois-moi. Il a fallu en menacer une de poursuite aujourd'hui, car elle prétendait que le Princess Azul séquestrait ses deux amies. Vraiment pénible.

Geneviève prétexta un appel de sa fille pour raccrocher. La douche l'attendait, mais elle ne voulait surtout pas dire à Rosie avec qui elle avait rendez-vous, ce soir-là, au resto japonais.

Toutefois, curieusement, comme cela se produit peut-être une fois dans une vie et qu'on met sur le compte de l'intuition, d'un don de clairvoyance ou simplement du hasard, sa fille l'appelait vraiment. Son portable annonçait un appel, via Skype, d'Anne Cabana-Desjardins.

Sur l'écran, une Anne radieuse apparut, tenant dans ses bras deux chats visiblement malheureux et contrariés.

— Jean-Guy et Solange te font dire miaou!

Geneviève se mit à leur parler «en chat», comme ses enfants le disaient, un dialecte compris seulement par les proches de la psy et qui consistait en un mélange de langage de bébé, de mots à moitié mâchés et d'intonations très exagérées. Les chats lui «répondaient» dans une langue aussi débile que la sienne.

Mais Anne ne put garder les félins trop longtemps dans ses bras. Ils se débattaient comme des tigres.

— J'ai déjà lu que les chats ne peuvent voir les images sur les écrans, dit Geneviève, un peu insultée que des bêtes qu'elle avait soignées et nourries pendant neuf ans n'aient pas plus de réactions en la voyant.

— Mais ils entendent quand même, répondit Anne en appuyant sur le clou. Ils sont probablement fâchés contre toi. Tu les as abandonnés…

«Pas eux aussi qui me culpabilisent», se dit Geneviève.

— Maman, nous avons un problème avec les locataires, poursuivit Anne en changeant de conversation. Le couple Patel se plaint que la famille Viet ne respecte pas la ligne de démarcation du balcon arrière, et que leur fils a piétiné leur coriandre. Je fais quoi avec ça? Le petit est adorable…

— Tout d'abord, ce sont pas des Vietnamiens, chérie, mais des Laotiens…

Mais quoi faire, effectivement? Les Patel, que la famille Cabana appelait affectueusement les «vieux Indiens» en raison de leur âge vénérable, habitaient cet appartement de l'avenue Champagneur depuis plus de trente ans. Ils étaient discrets, à la limite silencieux. Des locataires parfaits. Quant à la petite famille laotienne, qui allait s'enrichir d'un quatrième membre d'ici Noël, elle ne faisait peut-être que passer dans ce petit quatre et demi en attendant de trouver plus grand. Mais le prix était si avantageux que peut-être elle resterait bien plus longtemps. Il fallait donc trouver une solution à plus long terme pour tuer les germes du conflit.

Lorsque la famille avait manifesté son intérêt pour le logement vacant, trois ans plus tôt, Geneviève avait vérifié si le Laos et l'Inde avaient connu des épisodes belliqueux, histoire d'éviter tout conflit potentiel avec les Patel. Un de ses amis, qui administrait une conciergerie dans le quartier Côte-des-Neiges, s'assurait toujours que des voisins du même palier partageaient une «histoire commune harmonieuse». Elle n'avait rien trouvé d'outrageant sur Google, ni génocide, ni massacre, ni annexion indésirable. Ce petit conflit sur le partage du balcon devrait donc pouvoir se régler aisément.

— Demande à Balthazar d'installer un de ces tissus qui séparent les balcons, tu sais, comme ceux qu'on a vus chez Home Depot. Ça leur fera une vraie ligne de démarcation. On aurait dû le faire plus tôt, en fait, dès le début de l'été. Là, il est peut-être un peu tard dans la saison, il va neiger dans un mois… Tu peux dire ça aux Patel? Et apporte-leur donc un nouveau plant de coriandre.

— Hmmm… OK, je vais le faire, mais tu sais comme je tripe pas sur le management de locataires…

— Oui, mais ça fait partie du *deal*: tu payes rien pour te loger, mais tu rends des petits services de maintenance. À part ça, comment tu vas?

Anne raconta avec moult détails sa semaine à l'université, les examens de mi-étape et ses doutes quant à sa vocation de comptable.

— La *crowd* est tellement *straight,* maman, je ne sais pas si je me vois passer toute ma vie avec eux.

— Mais tu ne vas pas nécessairement travailler avec des comptables. Au contraire, tu seras LA comptable de la boîte que tu veux, ça peut être un endroit qui te ressemble.

Geneviève avait trouvé le choix de formation de sa fille étonnant – ni elle ni son ex n'avaient jamais eu la bosse des mathématiques – mais elle en était fière. Et surtout, elle le trouvait très pratique. Un comptable dans une famille était presque aussi essentiel qu'un médecin. Presque.

— Monsieur Adesh te fait dire bonjour, et qu'il s'ennuie de toi…

— Tu es allée à son resto ?

— Oui, hier soir, avec les copines.

Monsieur Adesh était serveur au restaurant India Beau Village, qui était situé sur la rue Jarry, tout près de la maison de l'avenue Champagneur. C'était devenu un de ses repères favoris. Quand Geneviève ne savait pas trop quoi préparer à manger, ou quand le frigo était vide, une visite chez Beau Village s'imposait. Les portions étaient généreuses et les prix, raisonnables. Tout ça lui manquait, soudainement.

Elle dut à regret prendre congé de sa fille, car le temps filait et elle devait impérativement aller se doucher après cette journée torride et humide.

En s'habillant, elle pensa aux deux quadragénaires dans la vitrine de la boutique de mariées. Même comme psy, elle s'expliquait difficilement ce comportement. Une énigme, ces filles.

Comme elle avait encore un peu de temps devant elle – la beauté de vivre dans un tel complexe, c'était que tout était à moins de cinq minutes de marche – elle se servit un verre de blanc, histoire de se détendre. Elle décida d'aller faire un tour sur le site Web du sorcier Fritz-Aimé.

Alors que Geneviève s'attendait à un truc artisanal, à la limite bancal, elle tomba sur une page à la fine pointe de la technologie, disponible dans une dizaine de langues. La bicoque sur la montagne qu'imaginait Geneviève était en fait un vaste bâtiment ultramoderne planté dans un décor luxuriant.

Fritz-Aimé y était présenté comme un sorcier professionnel, issu d'une famille pratiquant le vaudou depuis des siècles, «des forêts impénétrables du Bénin aux collines d'Haïti, et maintenant dans la grande région de Punta Cana». Une immense photo montrait un homme dans la quarantaine, aux yeux intenses et à la peau sombre, vêtu de tissus flamboyants. On pouvait le voir en action en cliquant sur différentes vidéos de facture professionnelle, le montrant tantôt en train de danser, de chanter, de psalmodier ou de taper sur des tambours un rythme lancinant.

Le site présentait les différentes options offertes aux clients, de l'hypnose traditionnelle à l'envoûtement, en passant par le «nettoyage moral», la reprogrammation mentale et la communication avec l'au-delà. C'était ce que Stéphane Dicaire allait justement chercher, afin de savoir s'il devait vendre ou non la compagnie fondée par son père.

Les services offerts pas le sorcier n'étaient pas donnés. «On comprend comment le sorcier a pu se bâtir pareil complexe en pleine jungle», se dit Geneviève.

Fritz-Aimé assurait une «satisfaction garantie ou argent remis».

De nombreux témoignages de clients étaient disponibles sur vidéo dans l'icône «Ce qu'ils en ont dit». C'étaient sans doute ceux que visionnait Stéphane Dicaire jusque tard dans la nuit, selon les dires de son épouse. Étrangement, et malgré le fait qu'on n'offrait aucune traduction, l'effet était ensorcelant. Geneviève en était à son cinquième témoignage dans une langue qu'elle n'arrivait pas à identifier (du finnois? Du hongrois? Du basque?), encore moins à comprendre, lorsque l'alarme de son iPhone lui indiqua qu'il était dix neuf heures cinquante-cinq et qu'elle avait rendez-vous cinq minutes plus tard au restaurant Fuzion Japonese de l'hôtel Princess Azul.

— Je ne m'attendais pas à rencontrer quelqu'un comme vous ici, à Punta Cana...

Le docteur Pierre Sansregret avait le compliment facile. Il avait d'abord feint de tomber à la renverse lorsque l'agente à destination s'était assise en sa compagnie.

— Ce jaune... C'est éblouissant... Vous êtes éblouissante, Geneviève!

— Vous ne trouvez pas cette blouse un peu trop... jaune, justement?

— Non! Ça rehausse votre teint légèrement bronzé, j'adore.

Le gastroentérologue s'était ensuite lancé dans une longue diatribe sur les couleurs de Punta Cana, et sur cette «lumière» qu'il avait trouvée dans les Caraïbes et qui l'avait pour ainsi dire «ressuscité des morts».

Geneviève avait ri.

— J'exagère à peine. L'hôpital Notre-Dame est un vieil édifice, c'est un peu sombre, étouffant. J'y côtoie toute la misère physique du monde... Ça finit par user, vous savez. Vous ne pouvez pas imaginer comme cette semaine me fait du bien. Et comme je ne m'attendais pas à rencontrer quelqu'un comme vous ici...

Des cris leur parvinrent d'une table située au coin sud-ouest du restaurant. C'était le cas chaque fois qu'un des cuisiniers venait y faire griller les viandes des clients dans le wok géant. Dès que les flammes jaillissaient, à tout coup, les membres de la tablée réagissaient par des cris, des exclamations, des rugissements, et cela allait parfois jusqu'aux pleurs, surtout lorsque de jeunes enfants étaient de la partie. Ils croyaient que le resto au complet allait flamber.

Il fallait dire que le spectacle était très impressionnant.

— Pourquoi êtes-vous devenu gastroentérologue?

Pierre Sansregret regarda Geneviève avec des points d'interrogation dans les yeux. Tout leur pourtour était blanc, contrastant avec le reste du visage, plutôt bronzé, ce qui donnait au médecin des allures de raton-laveur. Résultat typique d'un port intensif de lunettes de soleil.

— Je veux dire… Ce n'est pas la branche la plus facile de la médecine, non? Toutes ces… tripes… ces intestins, ces côlons, tout ce système d'évacuation…

Geneviève hésitait, ne se rappelant plus exactement quels organes du corps humain appartenaient aux champs d'expertise du gastroentérologue moderne.

— Le système digestif est fascinant, lui répondit Pierre Sansregret. C'est d'une perfection inouïe. Après avoir vu ça de l'intérieur, vous vous mettez à croire en l'existence de Dieu…

— Vous y croyez?

— Euh… pas vraiment, c'est une figure de style, mais sincèrement, entre une photo d'un système digestif et une autre de Claudia Schiffer, j'opte pour la première *anytime*.

Geneviève rit de nouveau. Décidément, Pierre Sans-regret était d'une agréable compagnie. Sa référence à Claudia Schiffer, désormais quadragénaire et mère d'une ribambelle d'enfants, trahissait le fait qu'il n'avait plus feuilleté de magazine féminin depuis un certain temps. Son divorce remontait à une douzaine d'années, ce qui concordait dans les dates.

Kun, le serveur coréen qui se faisait passer pour un Japonais auprès de la clientèle à des fins d'authenticité, vint prendre leur commande.

Geneviève présenta son compagnon de table comme son « cousin canadien ».

— Je meurs de faim ! s'exclama le « cousin ». Toutes ces activités aquatiques m'ont ouvert l'appétit.

— Choisissez pour nous deux, lui dit Geneviève, je ne m'y connais pas tant que ça en mets japonais.

Le médecin commanda d'abord des rouleaux de makis Oishi, des assiettes de yakitoris et de sashimis, des anguilles grillées dans un bol de riz vinaigré, puis un Teppanyaki, du bœuf grillé dont la cuisson provoquait une des flambées les plus spectaculaires du menu en raison de l'huile dans laquelle il marinait. Les photos de ces lanières de viande en feu occupaient un espace prépondérant sur les médias sociaux, dépassées seulement par des clichés de coucher de soleil.

— Monsieur a bon goût, lui dit Kun.

Pierre Sansregret commanda un vin de Rioja, un très coûteux Finca Allende qui ne faisait pas partie de la liste du tout-inclus, puis dit quelques mots au serveur en japonais. Ce dernier, comme à son habitude, feignit de comprendre et sourit exagérément.

— Vous parlez japonais ? demanda Geneviève.

— Je sais seulement dire « Mon tailleur est riche ».

Geneviève aperçut alors le couple Chartier-Picard, assis à une table, un peu en retrait, l'air peu avenant. Ils étaient passés à son bureau durant l'après-midi. Après le safari raté dont ils n'avaient pas reçu le début d'un remboursement, voilà que la sortie à l'aquarium s'était mal déroulée. Lors de la traditionnelle baignade avec les dauphins, Nathalie avait été entraînée vers le fond du bassin par son mammifère marin et avait failli se noyer.

— On s'est plaints de l'agressivité des dauphins, parce que moi aussi j'ai reçu un violent coup d'aileron, et vous savez ce qu'on s'est fait répondre? avait lancé son mari, Pierre.

Geneviève avait écarté les yeux en l'encourageant à continuer.

— Que la pleine lune de la nuit précédente les avait sûrement perturbés, que ça arrivait parfois, que c'était un phénomène naturel. Il a répété «natoural» une bonne douzaine de fois, le bonhomme. Eh bien! J'ai *checké* en arrivant à l'hôtel, Madame, et la lune était au quart pleine cette nuit. Pas pleine pantoute. Je connais pas grand-chose aux dauphins, mais me semble que la moindre des choses est de les élever correctement, surtout au prix que ça coûte de nager avec eux.

Geneviève avait acquiescé, compatissante, souhaitant en son for intérieur que le couple Chartier-Picard n'allait pas une fois de plus demander un remboursement.

— Nous souhaiterions un remboursement, et nous pensons même à un dédommagement pour choc post-traumatique, poursuivit Pierre Chartier. On nageait tantôt dans la piscine, et ma femme a eu des visions de dauphins qui tentaient de la tirer vers le fond. Elle a même pas été capable de faire son cours de plongée avec le gars de la piscine, même si on a réservé au début de la semaine. Ça marque, une affaire de même, Madame…

— Gonzo… Je veux dire le professeur de la piscine, a dû me faire un cours spécial hors de l'eau, avait dit Nathalie d'un air désolé.

— Ben ça, ça a pas eu l'air de trop te déranger, lui avait répondu son mari sur un ton cassant. Il te collait, j'ai failli lui péter la gueule.

Sans doute s'agissait-il du fantasme de tous les époux qui assistaient, impuissants, aux cours de plongée en apnée que Gonzalo Resurrección donnait à leur tendre moitié.

Geneviève avait alors expliqué au couple la procédure à suivre, tout en leur donnant cet avertissement : les chances de récupérer quoi que ce soit en raison du comportement inadéquat d'un dauphin étaient minces. L'Aquarium de Punta Cana était une entité complètement indépendante du Princess Azul.

— Vous ne m'avez… Je peux vous tutoyer, Geneviève ?

Le gastroentérologue la tira de ses pensées.

— Bien sûr.

— Tu ne m'as pas vraiment expliqué comment toi, une psy, tu t'es retrouvée ici agente à destination. Pas que ce soit un sous-métier, non ! Mais c'est surprenant…

Geneviève hésitait quant à l'ampleur des confidences à faire au docteur Sansregret. Elle le connaissait à peine, après tout. Par ailleurs, elle se sentait en totale confiance avec lui, sans qu'elle sache trop pourquoi. Était-ce sa barbe grise ? Son regard doux et intelligent ? Son sens de l'humour ? Son allure générale de gros ours gentil ? Ou l'effet de cet excellent Rioja qu'elle commençait tout juste à déguster ?

— Eh bien, je ne le sais pas trop moi-même, répondit Geneviève. J'ai atterri ici sur un coup de tête. Enfin, pas tout à fait, mais ça n'est pas loin de la réalité.

Elle commença à raconter l'agression contre son patient Sylvain Lemieux, et la manière dont elle avait perdu les pédales en l'entendant raconter les mêmes choses depuis deux ou trois ans, elle ne comptait plus.

— Il en était au thème « ma mère est pas fine », un sujet récurrent chez lui, et il allait raconter une histoire que j'avais entendue mille fois. Je te l'épargne, Pierre, mais il était question d'un poème que ce patient avait écrit à l'âge de neuf ans et demi et qu'il trouvait absolument génial. Après l'avoir récité avec passion à sa mère, celle-ci lui avait demandé : « Tu veux du brocoli ou des fèves jaunes comme légume ce soir ? » Ça l'avait traumatisé. Des épisodes comme ça, il m'en a raconté des dizaines, voire des centaines. Alors, quand il a voulu en raconter une que j'avais déjà entendue, je lui ai dit de se taire.

— De se taire ?

— Oui, je sais, une psy ne doit jamais dire ça à un client, surtout lorsqu'il paye quatre-vingt-dix dollars pour une séance d'une heure. Il a continué à parler, moi, je lui répétais de se taire, il semblait ne pas comprendre, et c'est là que je me suis levée, et que je l'ai bousculé... Et là, crois-le ou non, il m'a appelée « maman ». J'ai soudain vu noir, je l'ai traité d'abruti, et j'ai attrapé ce qui me tombait sous la main. Il y avait mon diplôme, dans un cadre en bois très dur, qui traînait sur le bureau et que je devais replacer. Un animal qui accompagnait son maître à sa séance, la veille, l'avait fait tomber. Alors, j'ai pris ce maudit cadre et je le lui ai jeté par la tête...

Sylvain Lemieux avait hurlé et s'était tordu de douleur, comme si un camion de vingt roues lui était passé sur le corps deux fois.

— Il exagérait tellement, c'était pathétique...

La secrétaire de même que d'autres psychologues avec qui Geneviève partageait son bureau étaient accourus. On avait réussi à calmer Lemieux. Geneviève avait annulé ses autres rendez-vous de la journée. Elle était partie, dans un état second, au Salon de quilles Excellence, dans l'est de la ville, où elle avait fait une profusion d'abats jusque tard dans la soirée. Le bowling avait sur elle un effet apaisant. Elle adorait le bruit que faisaient la semelle des chaussures dans les allées, le son des quilles qui s'affaissaient. Elle avait passé son enfance à regarder *L'Heure des quilles* à la télé, et se rappelait avec tendresse les sorties en famille au Spot Bowling, non loin du cinéma Commodore.

Le lendemain, poursuivit-elle, après cette digression sur sa passion des quilles, Sylvain Lemieux déposait une plainte à l'Ordre des psychologues. Quelques mois plus tard, le verdict était tombé.

Geneviève n'avait plus rien devant elle. Elle aurait pu travailler dans le réseau des services sociaux, mais l'idée la déprimait. Elle avait réalisé qu'en-dehors de la psychologie, ses compétences sur le marché du travail étaient limitées. Hormis les quincailleries, où elle avait une expérience certaine. Elle avait donc envoyé son curriculum vitæ chez Rona, mais échoué le test d'aptitudes.

Et puis Paul lui avait annoncé, un matin, qu'il la quittait pour aller refaire sa vie avec leur femme de ménage, Rosa. Geneviève s'était sentie trahie. Elle voulait partir loin, et une connaissance lui avait parlé de cet emploi à Punta Cana. Ça l'avait fait rêver.

— Il m'est arrivé quelque chose de semblable, Geneviève.

— Ah bon?

Geneviève se demandait s'il s'agissait d'une agression contre un patient, ou encore d'une rupture amoureuse.

La conversation fut interrompue par l'arrivée des entrées et des anguilles grillées. Kun avait apporté quelques sushis en extra pour saluer la présence d'une collègue au restaurant et «le bon goût du cousin».

— Tu as voulu assassiner un de tes patients, ou bien tu as vécu un gros chagrin amoureux? lui demanda Geneviève en riant. À moins que tu aies coulé un test d'embauche chez Rona?

— Les deux premiers… Lorsque ma femme m'a quitté, ça faisait vingt ans qu'on était ensemble, j'ai passé un très mauvais moment. J'étais tout à coup seul dans ma grande maison de Saint-Lambert. Durant cette période, disons… sombre, l'urgence m'a appelé : «Un type vient d'arriver, il a une chandelle de huit pouces coincée dans l'anus et il prétend que c'est accidentel, qu'il l'a avalée.»

Geneviève le regardait d'un air effaré. Ses clients, à côté de ça, c'était vraiment de la petite bière.

— Le gars était habillé d'un complet de chez Moores, tu vois le genre. Mon collègue l'a anesthésié, et j'ai fait mon boulot de manière professionnelle. Petit aparté, ajouta-t-il en baissant le ton, la chandelle avait pris la forme du côlon et de l'intestin grêle. On voyait la route empruntée. Impressionnant…

Voyant que Geneviève avait cessé de mastiquer la bouchée de pieuvre qu'elle venait d'enfourner, le gastro-entérologue s'excusa.

— Déformation… ou disons, passion professionnelle. Toujours est-il que lorsque je suis retourné le voir, quelques heures plus tard, en salle de réveil, sa femme était là. Très chic, genre avocate. Je ne me suis pas trompé, elle s'est présentée : «Maître Bilodeau», ou un nom du genre. Puis elle m'a dit : «Merci d'avoir sauvé la vie de mon mari. Mon pauvre chéri. Quelle idée de t'asseoir sur des bancs de parcs souillés, dans le quartier gai? Tu aurais pu attraper le sida. Est-ce que c'est dangereux, docteur?» Je lui ai demandé ce qui était dangereux, et là, le type qui avait remis la chemise de son complet et triturait sa cravate, m'a regardé d'un air complice et a dit : «Eh bien, cette barre de fer qui traînait sur le banc et qui a déchiré… enfin, vous savez quoi.» Et il a ri. Je l'entends encore… Et là, Geneviève, comme toi avec le patient et l'histoire de son poème et du brocoli, j'ai pété les plombs. Toute cette hypocrisie, et moi qui venais de me faire larguer par la femme de ma vie...

Pierre Sansregret se tourna vers Kun, qui était à la table d'à côté en train de préparer son wok, et lui commanda une deuxième bouteille de Finca Allende. Geneviève se demandait dans quel état elle serait le lendemain, un vendredi, journée où les clients défilaient à la queue leu leu, toutes les déceptions de la semaine refaisant surface comme des algues portées sur le rivage par une tempête en mer.

— Bref, continua le gastroentérologue, je lui ai dit : « Ah oui ? Une barre de fer ? Regarde, ça c'en est une, barre de fer. » Et là, j'ai pogné la barrière de son lit, je me suis mis à la secouer violemment comme si je voulais l'arracher, et je lui ai dit : « Je vais te la rentrer dans le cul, trou du cul... »

— Noooon !

Geneviève ne pouvait s'empêcher de rire. Cette histoire la réconfortait : d'autres professionnels pouvaient aussi péter les plombs. Et pas mal plus qu'elle. Après tout, ce type venait de subir une opération.

— Je secouais le lit comme si je voulais faire tomber une noix de coco d'un cocotier. Je voulais vraiment arracher un morceau de métal. Le gars se faisait brasser, il criait, sa femme aussi, elle appelait à l'aide... Heureusement, deux infirmières et un préposé à l'entretien, un gars super baraqué, sont intervenus. Je suis revenu à moi. La femme continuait de crier, elle disait que j'étais possédé par un démon... J'ai dit à mon personnel que j'allais me calmer et revenir plus tard.

— Ils ont porté plainte ?

— Attends...

Kun revint avec la nouvelle bouteille. Le restaurant s'animait de plus en plus. Une flamme spectaculaire s'élevait de la table du couple Chartier-Picard, et l'épouse se leva précipitamment, la serviette de table collée sur la bouche, les yeux exorbités, la main sur le cœur comme si elle allait trépasser. Geneviève se dit qu'elle allait sans doute recevoir une nouvelle visite du couple le lendemain.

— Alors, qu'est-ce qui s'est passé? demanda Geneviève. Ça a fini devant ton comité?

— Nooon…

Le gastroentérologue avait les joues en feu. Visiblement, cette histoire l'amusait.

— Je me suis calmé, puis j'ai réfléchi. Ce que j'avais fait était très grave. Mais ce gars était odieux. Alors je suis allé chercher la chandelle que je lui avais retirée…

Il n'alla pas plus dans les détails, ce qui soulagea Geneviève, qui était en train de déguster les délicieux rouleaux de makis Oishi.

— Elle était restée dans la salle d'opération. Rassure-toi, elle avait été désinfectée. Je me suis rendu jusqu'à sa chambre. Sa femme était là, elle parlait au cellulaire, sans doute demandait-elle conseil à ses collègues concernant la suite des choses. En me voyant entrer, elle s'est mise à crier: «Infirmière, garde, au secours!», mais j'ai vu que son mari avait vu… la chandelle que j'avais dans les mains. Il lui a dit de se calmer. J'ai fermé la porte et j'ai expliqué calmement à la dame pourquoi son mari avait atterri aux urgences de Notre-Dame. Et mon hypothèse sur ce qui avait vraiment pu arriver. Silence de mort dans la chambre. Puis l'explosion. Les deux ont eu une engueulade monstre. La fille traitait le gars de malade sadique, le gars la qualifiait de frigide. Il était PDG de je ne sais plus trop quelle entreprise, en tout cas une grosse, il ne pouvait pas se permettre une affaire comme ça. On s'est laissés en bons termes.

— Oh, boy! Je n'avais pas un rapport de force comme ça avec Sylvain Lemieux...

De nouveaux cris éclatèrent, parvenant cette fois-ci de la zone nord-est du restaurant, suivis par un bruit de vaisselle brisée, de mobilier qui s'effondre et d'une bousculade. Geneviève vit un membre de l'équipe courir avec un extincteur dans les mains.

— Mais ça a été une leçon, Geneviève, poursuivit Pierre Sansregret, stoïque devant la scène qui se jouait sous leurs yeux. Je me suis dit que plus jamais je ne me laisserais emporter comme ça.

— Mon problème, Pierre, c'est que je n'arrive pas trop à comprendre ce qui m'a pris, à moi... Je crois que c'est dû à mon déficit d'attention non diagnostiqué. Il y a un volet d'impulsivité lié à ce trouble, je crois que j'en suis atteinte. Qui sait si ça pouvait me reprendre un jour? Tu es médecin... Est-ce que je devrais prendre du Ritalin?

Pierre Sansregret la regarda, surpris, le sourcil légèrement arqué.

— Du Ritalin? Le truc pour les petits garçons hyperactifs?

Leur conversation fut à nouveau interrompue, cette fois par l'arrivée d'un morceau de bœuf qui ruisselait de sang. De ses mains habiles, Kun le trancha en fines lanières, puis y mit feu. Accentuée par une huile végétale directement importée du Japon, la flamme était vraiment spectaculaire. Le garçon à l'extincteur se tenait non loin, prêt à intervenir. Tous les yeux des convives installés dans leur secteur du restaurant étaient rivés sur leur table, mi-admiratifs, mi-effrayés. Geneviève les passait rapidement en revue, leur adressant de petits sourires entendus, lorsqu'elle croisa un regard sombre et glacial qui lui donna froid dans le dos : celui de Federico Armando del Prado Mayor.

Le directeur général faisait son entrée au restaurant, ce qui provoqua une onde de choc parmi le personnel. Il était accompagné de son assistante, Paloma, et des deux représentants de l'OMS qui étaient à la réunion du matin. Une famille asiatique, qui en était au dessert, se fit gentiment prier de déguerpir *manu militari* et de libérer la table.

Sous l'effet de la chaleur de la flamme et de la vision de son patron, Geneviève devint écarlate.

— Vous êtes en feu ! Ça vous va si bien !

L'excellent Rioja faisait son effet sur le docteur Pierre Sansregret, qui prit la main de Geneviève à son grand désarroi. Mais elle avait une excuse en béton pour remettre le gastroentérologue à sa place sans le froisser.

— Pierre, n'oublie pas que tu es mon cousin.

— Et les cousins ne peuvent pas être affectueux ? Et ben, dis donc…

Geneviève ne voulait pas en savoir davantage. Elle se souvenait des cousins de son amie Hannah qui avaient débarqué du Liban, à la fin de leur adolescence. L'un deux était sorti plusieurs mois avec Hannah, ce qui était vraiment bizarre pour Geneviève. Elle ne pouvait s'imaginer faire la même chose avec ses propres cousins.

— Mais ils ne vivent pas au Liban, tes cousins, lui disait Hannah, ils sont à Fabreville et à Anjou. C'est pas pareil. Tu as grandi avec eux.

Les lanières de Teppanyaki fondaient dans la bouche. Le repas était un délice, et le restaurant japonais était vraiment le meilleur de l'hôtel, bien loin devant celui que Geneviève appelait le « faux français », le Place de Lille. Son menu, élaboré par le chef Pep Bolufer, n'était pas si mal, mais le décor était une caricature d'un bistro des années 1950.

La table de Geneviève et Pierre donnait sur le luxuriant jardin du restaurant, et elle apercevait plusieurs membres du clan Corleone s'en donner à cœur joie avec des restants de nourriture. Un client, qui les avait aussi vus, jeta aux chats une portion de thon cru qu'il n'aimait visiblement pas. Il y eut une petite échauffourée entre un chat tigré roux et un noir et blanc, puis tout rentra dans l'ordre.

— Alors, tu t'amuses bien?

Paloma s'était arrêtée à sa table, tout sourire, en route vers les toilettes où elle allait sûrement passer plusieurs minutes à redessiner son maquillage élaboré.

Elle regardait Pierre Sansregret avec avidité et n'avait rien manqué de son petit jeu de mains. Elle connaissait les règles, elle aussi.

— Je te présente mon cousin canadien, Pierre Sansregret, un réputé gastroentérologue.

Geneviève n'était pas certaine d'avoir employé le bon mot pour définir la spécialité médicale de son cousin, mais la présentation fit son effet.

— Un docteur? On n'en a pas de trop ici, dit Paloma en se penchant et en glissant à l'oreille de Geneviève: «Six nouveaux cas en fin de journée. Des Coréennes. Elles sont hystériques. del Prado Mayor est fou d'inquiétude... On est au bord de la catastrophe, Rhénébièbé. Et je veux pas t'inquiéter, mais c'est comme si le directeur focussait sur toi...»

— Quoi?

Geneviève faillit s'étrangler avec une lanière de Teppanyaki.

— Il est en colère contre la patiente zéro, contre le Canada en général, et puisque tu es la représentante de cette fille de Santé-Foille, eh bien! Il transfère sur toi son… sa contrariété, disons.

— Mais c'est injuste!

Paloma la regarda d'un air désolé. Elle leur souhaita une excellente fin de repas et tourna les talons en direction de la salle de bain.

Pierre Sansregret, qui n'avait rien compris de la conversation, mais sentait bien que l'heure était grave, demanda à Geneviève ce qui se passait.

Elle lui fit un résumé de la situation. Les horribles boutons de Myriam Lalumière, les *nouveaux cas* qui apparaissaient chaque jour, le directeur général en mode panique et avec raison, et elle qui se sentait injustement jugée.

— Bordel, je vais perdre mon boulot… pour la deuxième fois en quelques mois.

— Que des femmes?

Le gastroentérologue restait accroché à cette information, qu'il jugeait «révolutionnaire». Il se mit à parler de gènes mutants et d'ADN en folie. Il semblait fasciné.

— Je suis mystifié, finit-il par dire. Quel défi pour la science! Mais pas de chance pour cet hôtel. Tu sais à quoi ça me fait penser? À *La peste*, d'Albert Camus, un livre qui m'a marqué lorsque j'étais au cégep… Je pense que ça a été le révélateur de ma vocation de médecin. Tu l'as lu?

— Euh… oui, au cégep aussi.

La lecture du chef-d'œuvre de Camus n'avait pas déclenché chez elle autre chose que de l'effroi. Tous ces rats d'égout qui agonisaient sur les trottoirs, la mort qui frappait au hasard…

— À moins que ça ne soit une situation qui ressemble à celle dans *Mort à Venise,* poursuivit le docteur Sansregret, songeur. Ça se passait dans un hôtel, et le narrateur mourait à la fin, de la peste aussi, il me semble. Un film magnifique!

Geneviève se souvenait vaguement de ce film. Sombre et déprimant, lui semblait-il. Elle se sentait surtout accablée. Évaporée, toute la belle insouciance de ce repas en si agréable compagnie. Le Rioja accentuait son *blues.* Elle se mit à penser au dentier de son père disparu mystérieusement, et qui avait déclenché un épisode de sénilité chez son paternel.

— Tu es si belle, si attirante, Geneviève...

Le gastroentérologue tentait maladroitement de lui reprendre la main. Le regard furtif de Federico del Prado, toujours aussi hostile, la convainquit de cacher les siennes sous la table, histoire de ne pas aggraver son cas. Dieu qu'il était beau!

— Mon père a perdu son dentier, dit Geneviève en reportant son regard sur Pierre Sansregret. Et je me sens tellement coupable de ne pas être là, avec lui, pour l'aider à le retrouver... Il a presque quatre-vingts ans, bordel, et je le laisse tomber pour aller dans un *resort* de Punta Cana!

Pierre Sansregret semblait surpris par le changement de ton soudain de sa compagne. Elle avait les yeux pleins d'eau. Il se tourna vers Kun, qui passait derrière lui, et commanda deux digestifs.

— Et les jumeaux... je m'en ennuie tellement! OK, ils ont vingt et un ans, ils peuvent se débrouiller sans moi. Mais quel message leur envoie-je? À la première difficulté, je me pousse au soleil. Comme ma mère... Pfff! Partie, disparue! Au revoir les enfants. Maman n'a jamais accepté le départ du petit Michel... La pauvre, je la comprends maintenant. Mon dieu, est-ce que c'est un atavisme? Est-ce qu'on est condamnés à répéter les erreurs de nos parents?

Le gastroentérologue la regardait, étonné. Il tentait de suivre ce qui ressemblait de plus en plus à un monologue intérieur.

— Ta maman ? Le petit Michel ?

— Oh, bordel, pourquoi est-ce que je te parle du petit Michel ? On se connaît à peine.

— Mais c'est comme si on se connaissait depuis longtemps, non ? Je ressens la même chose, Geneviève.

Il la regardait avec compassion.

— Le petit Michel… C'est un sujet tabou dans ma famille. On n'en parle jamais. Il était là avant qu'on arrive, mon frère Luc et moi. Au début de son mariage, ma mère a fait des fausses couches à répétition. Mes parents se sont tournés vers l'adoption. Ils ont reçu un nouveau-né, un petit garçon, Michel. Ce que j'en sais, c'est que sa mère était très jeune. Elle n'avait rien signé, mes parents croyaient que c'était une formalité. Mais deux ans plus tard, elle est revenue désormais mariée. La Cour leur a redonné Michel. Je crois que ma mère ne s'en est jamais remise. Même si Luc est arrivé quelques mois plus tard, puis moi deux ans après.

— J'avoue que c'est très triste…

— J'ai su ça par bribes grâce à mon père, parce que ma mère n'a jamais voulu en parler. On a trouvé des photos, on a demandé qui c'était, évidemment. Et quand ma mère est morte, foudroyée par un empoisonnement alimentaire – il s'agissait d'un phoque périmé –, il y a dix ans, ni Luc ni moi n'avons pu arriver à temps. Mais aux funérailles, qui ont été célébrées à Kuujjuaq, son conjoint, Bob, m'a pris à l'écart et m'a demandé : « Qui est Michel ? » À la fin, dans son délire, c'était de lui qu'elle parlait…

Geneviève était au bord des larmes. Elle but son digestif d'un trait, puis en se tournant vers Pierre, elle lui dit :

— Je me demande bien ce qu'il est devenu. Selon mes calculs, il a quoi, cinquante-deux... ou cinquante-trois ans aujourd'hui. J'espère qu'il n'a pas mal tourné. Avec la mère qu'il avait...

La tablée du directeur général se levait pour partir. Geneviève leur fit un petit signe de la main, mais seule Paloma le lui rendit.

— De quoi crois-tu qu'on va se rappeler, sur notre lit de mort? demanda-t-elle.

Pierre Sansregret, dont l'humeur s'était aussi quelque peu assombrie, décida que le temps était venu de changer de sujet.

— Je t'amène à la plage? On va écouter les vagues?

— À cette heure-là?

— Pourquoi pas, Madame?

Il commençait à avoir la bouche pâteuse. En se levant, Geneviève comprit qu'elle avait elle aussi beaucoup trop bu. Pierre Sansregret était un peu chancelant. Ils s'aperçurent que le resto était désert. Ils fermaient la place.

Ils empruntèrent le chemin vers la plage qui traversait la piscine, fermée à cette heure tardive. Geneviève eut une pensée pour Gonzalo Resurrección. Avec laquelle de ses conquêtes dormait-il en ce moment? Selon Peter, son voisin de chambre, il ne rentrait que très rarement dans son petit studio de l'aile C. Contrairement à la plupart du personnel local du Princess Azul, qui logeait dans les villes et villages environnants, Gonzo s'était négocié un pied-à-terre à l'hôtel.

«Ehhhh! Je ne sais pas comment il fait, le Gonzo!», lui avait dit Peter, l'unique agent à destination masculin du complexe, un Américain. «Je l'envie, Gene, mais je ne pourrais pas suivre son rythme. Tant de femmes à satisfaire... Et de tous les pays, chacune avec des codes différents, c'est lui qui me l'a dit.»

Geneviève s'appuya légèrement sur l'épaule de Pierre Sansregret, en souhaitant qu'aucune de ses collègues ne la voie. Elle se demandait bien où tout cela allait la mener. «Pas trop loin, j'espère.» Elle ne se sentait pas si attirée que ça physiquement par le médecin. C'était comme si elle avait trouvé en lui davantage un frère qu'un amant potentiel.

— Je ne connais pas tes jumeaux, Geneviève, mais je dois te dire que tu as sacrément bien réussi ton fils polonais... D'ailleurs, on n'a pas eu le temps d'en parler ce soir, mais quelle pièce d'homme! Piotr, c'est ça? Quel athlète. Ton gars nageait près de moi aujourd'hui dans les vagues. Je peux te dire qu'il est, comment dire, bien membré... Un genre de Dieu grec... Il faut dire que tu peux toi-même passer pour une sportive de haut niveau à la retraite! Comment as-tu rencontré son papa? Il étudiait au Canada? Tu l'as suivi en Pologne? Bref, comment t'as fait ça? dit-il en éclatant de rire. C'est tellement... bizarre!

Geneviève avait complètement oublié Piotr et n'avait pas eu le temps d'inventer quoi que ce soit à son sujet. Et avec tout l'alcool qu'elle avait ingurgité durant la soirée, son cerveau n'arriverait jamais à rien à son sujet. Elle décida donc de dire la vérité.

— Piotr... Piotr... C'est un Polonais, oui... Un fils... Mon dieu, Pierre, est-ce que tu entends ça?

Elle s'arrêta net.

— On dirait des gémissements...

— J'entends. Est-ce que ça ne serait pas... enfin, tu vois ce que je veux dire? demanda Pierre en lui lançant un regard lubrique et en se passant la langue sur les lèvres.

— Sincèrement, je ne le crois pas. Si c'est ça, ça a vraiment pas l'air le fun... Ça vient de là...

Ils étaient non loin du restaurant du buffet, près des petits abris réservés aux vendeurs du complexe hôtelier. Les gémissements provenaient de l'un deux. Quelqu'un semblait à l'agonie.

En ouvrant la porte de ce qui ressemblait à des mini-conteneurs, Geneviève poussa un cri. Francisco, le vendeur de bijoux, était couché en position fœtale. Il geignait, couinait et se lamentait, et semblait respirer avec difficulté. Il était agité et avait les yeux vitreux.

— Francisco, mon dieu, qu'est-ce qui t'est arrivé?

— Je vais mourir...

— Quoi? Où as-tu mal? Je suis avec un médecin canadien, il va pouvoir t'aider.

— Je vais mourir...

D'un geste de la main, il ouvrit sa chemise et Geneviève vit alors, sur son torse, des dizaines de boutons monstrueux, les mêmes que ceux des clients du Princess Azul.

— Seigneur! La peste! La peste bubonique!

Pierre Sansregret criait en reculant, visiblement effrayé.

— Rhénébièbé...

Francisco leva le bras et Geneviève vit que celui-ci aussi était couvert de pustules. Seul son visage semblait épargné.

— Rhénébièbé, mes bijoux m'ont tué...

Il montra un sac rempli de ses bracelets, colliers et boucles d'oreilles invendus. Geneviève crut qu'il faisait une figure de style avant de trépasser. Que sa nouvelle collection, si hideuse qu'il avait été incapable de la vendre, l'avait tué dans le sens métaphorique du terme.

Il laisserait peut-être sa famille sans le sou. Pire, criblée de dettes.

— Mes bijoux m'ont tué, répétait-il entre deux gémissements.

— Qu'est-ce que tu racontes?

— Mes bijoux... J'ai mis une nouvelle substance pour les rendre plus brillants... C'est un poison. Celui qui me l'a vendu est à l'hôpital. C'est sa sœur qui est venue m'avertir... Je vais mourir, Rhénébièbé... à cause de mes bijoux empoisonnés!

Geneviève se sentit soulagée. Ce n'était pas la peste bubonique.

— Mais non, Francisco, reste calme, on va t'emmener à l'hôpital.

Geneviève se tourna vers Pierre Sansregret et lui traduisit ce que venait de lui révéler Francisco.

— Ses bijoux? répétait le gastroentérologue, qui se tenait toujours à distance. Un poison? Remarque que c'est possible... Attends, je vais prendre ses signes vitaux. Il a l'air fiévreux.

Pierre Sansregret était soudain en alerte, sur le qui-vive, prêt à agir. Il extirpa de la poche de sa veste un sac semblant contenir du matériel médical. Geneviève était impressionnée par sa prévoyance. «Il redevient un médecin», se dit-elle tout en téléphonant à la sécurité de l'hôtel pour leur demander d'envoyer une ambulance.

Le gastroentérologue déversa par terre le contenu de son kit de premiers soins. Il administra d'abord à Francisco des analgésiques pour faire baisser la fièvre, puis lui donna un peu d'eau, pris à même une gourde qu'il extirpa de son autre poche. Geneviève se demanda s'il n'allait pas sortir un défibrillateur, un bistouri, voire un masque d'oxygène d'une autre de ses poches!

Le médecin avoua à Geneviève qu'il ne pouvait rien faire, à ce stade, pour les boutons.

— Ce sont comme de petites explosions nucléaires. Ça va prendre un travail de professionnel, dit-il, l'air un peu dégoûté.

Il avait enfilé une paire de gants chirurgicaux. Le contenu de ce kit de premiers soins semblait sans fin.

Une ambulance arriva. On transporta le pauvre Francisco, qui semblait moins agité, à l'intérieur du véhicule où l'attendaient trois ambulanciers. Geneviève expliqua la situation à l'un d'entre eux. Il prit le sac de bijoux avec précaution, comme s'il s'agissait de déchets radioactifs.

— Je crois que nous méritons vraiment d'aller entendre ces vagues, maintenant, dit Pierre Sansregret, au moment où l'ambulance partait tous gyrophares allumés.

— Je le crois bien, moi aussi...

L'épisode Francisco les avait quelque peu dégrisés. Geneviève se sentait terriblement fatiguée, mais elle ne voulait pas décevoir le gastroentérologue. Il avait été parfait toute la soirée.

— Allons-y...

Les deux avaient à peine marché dix mètres que Geneviève s'arrêta net, soudainement agitée.

— Oh, mon dieu! Pierre!

— Quoi? Tu entends encore des gémissements? Je vais commencer à penser que tu as un don!

— Olessia! Nous devons aller avertir Olessia! Nous devons la sauver!

— Olessia?

— Ma collègue ukrainienne... Elle a acheté un bijou de Francisco ce matin même. Elle a eu pitié de lui. Elle le porte peut-être, à cet instant. Mon dieu, elle est peut-être agonisante…

— Geneviève, il est presque deux heures du matin…

— Son studio est dans l'aile D… Suis-moi, ça vaut la peine de la réveiller!

Olessia Ivashchenko rêvait qu'elle gambadait dans un champ de blé sauvage, en compagnie d'un chien et de son grand-père décédé, Fédor, lorsque des coups violents contre sa porte la réveillèrent.

— Olessia, ouvre! C'est moi, Geneviève!

Geneviève? Il était deux heures du matin. Olessia sentit sa gorge se serrer. C'était sa mère… Il y avait eu une erreur de postes téléphoniques, et sa collègue Geneviève Cabana avait reçu l'appel fatidique en provenance de Kiev, celui qu'elle redoutait tant annonçant que sa mère avait été retrouvée morte. Morte d'angoisse.

Elle ouvrit la porte en tremblant et découvrit Geneviève, accompagnée d'un robuste barbu dans la cinquantaine. Elle remarqua aussitôt qu'il portait des gants chirurgicaux. Quelque part, dans son cerveau, ce détail la mit en état d'alerte.

Geneviève entra en trombe dans son studio.

— Olessia, tes bijoux! Donne-nous tes bijoux, vite!

— Geneviève?

— Les bijoux de Francisco! Tu ne les portes pas, n'est-ce pas?

Sa collègue lui observait les oreilles, les poignets, le cou… «Elle sent le fond de tonneau. Son compagnon aussi », se dit Olessia. Et les deux voulaient lui dérober ses bijoux. En pleine nuit. Un véritable cauchemar.

Le duo se rua dans la petite chambre du studio. Olessia vit qu'ils avaient repéré ses bijoux sur la commode de sa chambre. Elle regretta de ne pas avoir rangé son précieux collier d'ambre jaune, ayant appartenu à sa défunte grand-mère, Bohuslava. Il y avait aussi le bracelet qu'elle avait acheté le matin même de Francisco. Il reluisait dans la nuit comme s'il était radioactif.

— Je pense qu'elle n'a acheté qu'un bracelet, mais je n'en suis pas certaine... Olessia ? Olessia ?

L'homme prit le bijou de Francisco dans ses mains gantées, et le glissa dans un sac servant à jeter des résidus d'hôpital.

L'Ukrainienne se demandait dans quel cauchemar elle était plongée. Elle aperçut sur la table de la cuisinette son magnifique chandelier qu'elle avait acheté dans un marché aux puces de Saint-Domingue. Elle le prit discrètement, s'avança dans la chambre et l'abattit sur la tête du gastroentérologue, qui s'affaissa mollement sur le sol.

— Je suis désolée, Geneviève, tellement désolée...

— C'est pas de ta faute, Olessia... C'était trop bizarre, notre affaire. C'est normal que tu aies voulu assommer Pierre.

Il était près de quatre heures du matin, et toutes les deux prenaient une tisane aux oranges brûlées et aux orchidées de culture, une vieille recette ukrainienne. Le gastroentérologue dormait profondément sur le divan d'Olessia après avoir avalé les trois Tylenol qu'il conservait dans son kit. Ses ronflements tonitruants rassurèrent les deux femmes : il n'était ni mort ni comateux.

Le médecin avait repris connaissance quelques minutes après le coup qu'Olessia lui avait assené sur la tête. Selon ses premières analyses, il ne s'agissait que d'une ecchymose sans gravité. Il avait rapidement écarté la commotion cérébrale après avoir récité les cinquante capitales africaines en ordre alphabétique décroissant. Par ailleurs, il savait où il se trouvait, avec qui et pourquoi.

Par chance, Geneviève avait réussi à expliquer le but de leur visite nocturne à Olessia avant qu'il ne revienne à lui. Car elle menaçait de le frapper une fois de plus.

Elle s'était immédiatement confondue en excuses. Elle n'arrêtait pas depuis.

— Bon, je vais rentrer à mon studio, dit Geneviève. Ça te dérange pas si on laisse Pierre dormir sur ton sofa? Je sais qu'il ronfle, mais…

— Non, après ce que je lui ai fait, c'est la moindre des choses.

— On se voit demain, ma belle. J'imagine qu'on nous tiendra au courant des derniers développements concernant l'affaire des boutons. Heureusement que le pire semble derrière nous.

Vendredi

— Il a… quoi?

— Il a… Il aurait volé… enfin pris sans sa permission le téléviseur à écran plat d'un de nos pensionnaires, monsieur Delorme. Une quarante pouces. Ça s'est… ça se serait passé cette nuit, Madame Cabana.

Michel Simon, le gestionnaire de la clientèle humaine à la résidence du Crépuscule bienveillant, marchait sur des œufs. Ce qu'il avait à annoncer à Geneviève ce matin-là au sujet de son père était grave: Marcel Cabana semblait être devenu cleptomane. Après les dentiers, il aurait jeté son dévolu sur les appareils électroniques. Haut de gamme, par-dessus le marché…

— Il doit bien y avoir une explication, c'est pas possible, mon père est l'honnêteté incarnée. Il a déjà couru après une cliente dans le stationnement du Centre Salaberry parce qu'elle avait laissé vingt-cinq cents de trop à la caisse de sa quincaillerie.

Elle ne précisa pas que cette cliente était une comédienne connue et que son père avait un gros béguin pour elle.

— Nous aimerions bien aussi pouvoir vous donner une explication, Madame Cabana, susurra Michel Simon. Mais nous sommes dans le néant. Le néant de la science comportementale.

Téléphoner à la résidence avait été la première chose qu'elle avait faite en se levant, après avoir au préalable avalé deux Tylenol et bu deux verres d'eau citronnée, afin de nettoyer les excès de la veille. Geneviève s'attendait à passer un mauvais moment, mais jamais elle n'aurait pu imaginer cela.

— À la résidence, c'est ce que nous appelons une dérive cognitive transversale, poursuivit Michel Simon.

— Transversale? Comme dans «compétences transversales»?

— Exact. Nous utilisons ce terme, car cette dérive touche plusieurs aspects de la personnalité du pensionnaire atteint. Dans le cas de votre père, il semble être devenu cleptomane, ainsi qu'obsédé par les clous et les vis. Il en a des milliers dans sa chambre.

— C'est un ancien quincaillier... Mais dites-moi, Monsieur Simon, est-ce qu'un choc émotif, comme par exemple le départ précipité d'un être cher, peut provoquer cette dérive cognitive transversale?

— Vous voulez savoir si votre départ à l'étranger est responsable de l'état de votre père?

— Genre...

— Je l'ignore. Quoi qu'il en soit, votre père devra être vu par un spécialiste.

— Est-ce qu'il a déjà reçu son nouveau dentier?

— Non. En attendant, il porte toujours celui de notre pensionnaire nonagénaire, qui refuse de le récupérer car elle le croit toujours au paradis.

Geneviève prit une douche presque froide, histoire d'évacuer les symptômes des abus de la veille. Elle se surprit à chantonner sous le jet d'eau et mit cela sur le compte de l'histoire d'opéra de Federico del Prado.

Elle en avait rêvé durant sa courte nuit. Le bel Espagnol était déguisé comme le pantin dans la toile de Goya. Olessia, Rosie, Sylvia et elle-même tenaient un drap et le faisaient sauter dans les airs. Elles riaient, mais le directeur général semblait contrarié. À chaque chute, son corps prenait des positions de plus en plus biscornues. Lorsqu'elle se réveilla, le directeur général du Princess Azul avait pris la forme d'un triangle inversé, avec la tête qui pendait en bas.

« Étrange », se dit Geneviève.

Elle n'avait pas le temps de s'asseoir pour déjeuner au buffet, aussi prit-elle rapidement un croissant, des fruits et un café noir. En chemin vers son bureau, elle croisa Olessia, qui semblait aussi chiffonnée qu'elle.

— Ton cousin dormait toujours lorsque je suis partie ce matin. Après tout, il est en vacances, il n'a pas d'horaire. Pas comme nous.

Olessia avait observé le crâne du gastroentérologue de très près et avait constaté qu'une énorme bosse s'y était formée durant la nuit. Autrement, le médecin semblait en bonne condition physique.

— On se voit plus tard, Gen… Tu assistes au spectacle du *staff* ce soir ?

— Bien sûr, répondit Geneviève. Je ne voudrais pas manquer ça.

— Eh bien! Tu m'entendras alors raconter une légende ukrainienne. Je l'ai traduite en espagnol et en anglais. Ça sera une première!

Geneviève se demanda sur quel thème cette légende ukrainienne porterait. Il y aurait sans doute une forêt hostile, des marais hantés et pourquoi pas des elfes. Quoique ces derniers vivaient surtout dans le folklore scandinave, pas slave…

Geneviève avait à peine eu le temps de terminer son déjeuner lorsque son téléphone sonna. C'était Paloma. Geneviève craignit une fois de plus que le directeur général ne la renvoie sur-le-champ à Montréal.

— Monsieur del Prado Mayor veut te voir, Rhénébièbé.

— Maintenant?

— Oui, le plus vite possible…

— Il t'a dit à quel sujet?

— Non. Mais rassure-toi, il semble de fort bonne humeur.

Geneviève se dirigea immédiatement au deuxième étage de l'hôtel, où étaient concentrés les bureaux administratifs. Lorsqu'elle entra dans le bureau du directeur général, il terminait une conversation téléphonique sur un ton enjoué.

— Merci d'être venue, Madame Canada, et assoyez-vous, je vous prie.

— Cabana… pas Canada. Je sais que ça ressemble au nom de mon pays d'origine, et vous n'êtes pas le premier ici à vous méprendre, lui répondit Geneviève avec son plus beau sourire.

— Je me disais, aussi… Ce serait comme si je m'appelais Federico Espagne! Et mon assistante, Paloma République dominicaine. Absurde, non? Vous prenez un café?

— Oui, merci.

— Lait? Sucre?

— Noir, merci.

Toute la tension de la veille avait disparu du beau visage du directeur général. Il rayonnait. Ses yeux tiraient sur le vert, ce matin-là, en harmonie avec une peinture représentant une tempête en haute mer qu'il venait tout juste d'accrocher au-dessus de sa tête. La reproduction de Picasso était par terre, dans un coin.

Geneviève remarqua qu'il avait aussi affiché une photo du King Azul, l'hôtel six étoiles que la chaîne espagnole venait d'achever de construire à Dubaï. C'était le *nec plus ultra* des complexes hôteliers, et il cadrait parfaitement dans la démesure architecturale du richissime émirat. Le King complétait la gamme des «Azul», qui comprenait aussi les Queen Azul, des cinq étoiles, et bien sûr les Princess Azul, au nombre de quatre. L'ordre monarchique avait été respecté. Geneviève se dit que Federico del Prado Mayor devait rêver d'être un jour à la tête d'un King...

— Je voulais vous remercier, Madame Rhénébièbé, quel joli prénom d'ailleurs, pour tout ce que vous et votre cousin le médecin avez fait hier soir...

Geneviève devait bien se concentrer sur les paroles du directeur général, car son débit était très rapide et son accent, encore plus zozotant qu'à l'habitude.

— On m'a rapporté que votre cousin avait prodigué les premiers soins à Francisco Martinez Flores et qu'il lui avait sauvé la vie. Pas évident de faire des manœuvres de réanimation cardiaque sur un corps aussi...

Le directeur grimaça.

— ... aussi marqué par vous savez quoi. J'ai vu des photos de ces... abcès, et ça n'était pas du joli.

Geneviève se garda bien de lui dire qu'en fait de premiers soins, le docteur Pierre Sansregret n'avait fait que donner deux Tylenol à Francisco. Elle savourait son retour dans les bonnes grâces du directeur général du Princess Azul.

— Et merci d'avoir eu la perspicacité de faire le lien entre l'état physique de l'homme et un empoisonnement par ses bijoux. J'ai reçu un rapport du laboratoire de l'hôpital ce matin. On croit que des substances toxiques seraient présentes dans le vernis qui recouvre les bijoux de monsieur Martinez Flores. Il faudra lui demander de quoi il s'agit dès qu'il sera en mesure de s'exprimer. Cette toxine serait à l'origine de l'empoisonnement de nos clientes. Merci encore, Madame Rhénébièbé, d'avoir résolu cette énigme.

— Je suis très soulagée moi-même, Monsieur del Prado. Après tout, ma cliente, Myriam Lalumière, semblait la patiente zéro…

— Oui, acceptez toutes mes excuses pour ce terrible malentendu… Je vous ai mal jugée, et j'ai mal jugé votre beau pays. Je rêve d'y aller avec ma famille. Est-ce qu'il y fait toujours froid?

— Non, l'été, il fait très chaud…

— Ha! Ha! Vous m'en direz tant! Quoi qu'il en soit, pour revenir à votre cousin, il est toujours pratique d'avoir un médecin dans la famille. J'ai moi-même un cousin oncologue à Madrid. Il n'a malheureusement pas pu sauver mes parents…

Ses yeux s'embuèrent. «Quelle sensibilité à fleur de peau», se dit Geneviève, émue. Del Prado lui tendit un cadre où on voyait la photo d'un couple âgé. La femme était vêtue d'un chic tailleur Chanel, ses cheveux remontés en un strict chignon. L'homme, cravaté et l'air sévère, portait un poupon dans les bras. Derrière eux, on apercevait une tapisserie décrivant une scène biblique. Du moins, c'était ce que Geneviève croyait reconnaître.

— Quelle classe! dit-elle. Et qui est l'adorable bébé?

— Ma fille aînée, Beatriz, répondit le directeur général en exagérant son zozotement. Elle a quatorze ans maintenant. Et vous, avez-vous le bonheur d'avoir encore vos parents auprès de vous?

— Papa est en pleine forme... physique. Quant à ma mère, malheureusement, elle est décédée il y a une dizaine d'années. Un empoisonnement alimentaire.

— Quelle horreur! Des fruits de mer? Ils sont délicieux, mais tellement traîtres.

— Non...

Genèviève ouvrit son application mobile de traduction et y chercha le mot «phoque» en espagnol. Lorsqu'elle le dit à Federico del Prado, celui-ci eut l'air surpris.

— Du phoque cru? Elle est morte en mangeant du phoque cru?

Il sembla réfléchir un moment, puis ajouta:

— J'imagine que c'est une mort très canadienne...

— Eh bien non, pas vraiment, mais maman vivait dans le Grand Nord.

— Je vois, répondit-il, l'air ahuri. Alors, Madame Cabana, encore une fois mille mercis. Vous saluerez chaleureusement votre cousin de ma part. Dites-lui qu'il est toujours le bienvenu au Princess Azul.

L'entretien était terminé, et Geneviève quitta à regret le bureau feutré d'un des plus beaux hommes qu'elle ait eu le loisir d'admirer.

Geneviève avait laissé son cellulaire à son bureau et fut surprise – et décontenancée – d'y trouver un message de son père lui demandant de le rappeler d'urgence.

Que faire? Comment agir avec lui? Le confronter? Ou au contraire, faire comme si elle n'était au courant de rien? La psychologue en elle lui ordonnait d'aller droit au but, mais la fille privilégiait une approche tout en délicatesse.

— Rosie, je sors quelques minutes téléphoner à mon père.

Elle alla dans un endroit reculé du grand hall de l'hôtel, là où personne ne risquait de l'entendre parler. Elle composa le numéro de Marcel Cabana, et ce dernier répondit aussitôt. Geneviève décida d'y aller avec l'approche tout en douceur.

— Papa! Comment vas-tu?

— À tout événement, pas bien du tout, ma fille.

— Ah bon? Et pourquoi donc?

— On veut m'envoyer chez les fous.

— Quoi?

— Des gens ici veulent me faire rencontrer des psychologues ou des psychiatres, en tout cas des affaires de même…

— Papa! Je suis psychologue, et ma clientèle est tout, sauf folle, mentit-elle en repensant à quelques-uns d'entre eux. C'est normal de consulter à un moment donné de sa vie, c'est tout à fait naturel.

— Oui, mais pas pour les raisons qu'ils me donnent. Ils disent que je suis un obsédé et un voleur!

— Ah bon? demanda Geneviève sur un ton qu'elle voulait le plus neutre possible. Obsédé par quoi?

— Par mes vis, mes clous, mes affaires que j'ai rapportées de la quincaillerie. Ils ne comprennent pas que pour moi, ce sont des décorations. Pis ils m'accusent d'avoir volé une télé! La télé de Roméo Delorme! Le maudit fou s'est plaint ce matin!

— Et il s'est plaint pour… rien? demanda-t-elle d'un ton doucereux.

— C'est lui qui me l'a prêtée! Mais il ne s'en souvient pas, il est alzheimer stade trois. Et puis là, on m'accuse!

— Et pourquoi t'a-t-il prêté sa télé? T'en as une dans ton studio, non?

— Oui, mais elle marche plus. Et hier soir, c'était la finale de *Ma maison Rona*. Tu penses vraiment que j'allais manquer ça? J'allais lui rapporter sa télé ce matin, mais les malades ont débarqué avant.

Geneviève ne savait plus quoi penser. Les arguments de son père semblaient logiques. Son discours, raisonnable. Il n'avait pas l'air d'un homme atteint de dérive cognitive transversale. Mais les dentiers?

— Papa, ils sont peut-être échaudés à la résidence parce que tu as pris le dentier de la vieille dame, la nonagénaire. C'est ce qu'ils m'ont écrit, en tout cas.

Il y eut un long silence à l'autre bout du fil. Puis la voix de son père lui parvint, sur le ton de la confidence.

— Je le lui ai emprunté pour quelques jours…

— Tu vas me dire qu'elle aussi est alzheimer? Et qu'elle ne se souvient plus de te l'avoir prêté?

— Non… Disons que je voulais le lui emprunter en cachette, sans qu'elle s'en aperçoive. Juste le temps de recevoir mon nouveau dentier.

— Papa, comment voulais-tu qu'elle ne s'aperçoive de rien?

— Parce qu'elle passe des jours sans le porter! Elle a quatre-vingt-quatorze ans! Je pensais le lui rapporter en catimini, ni vu ni connu!

— Papa… Tu comprends que ça ne se fait pas, quand même?

— Oui… Je le regrette. Surtout que là, elle ne veut plus le remettre, il a fallu lui en commander un autre. Imagine-toi qu'elle m'a pris pour un saint!

— Oui, je sais…

— À tout événement, son dentier ne me va pas vraiment. Ça me fait de trop grandes dents, j'ai l'air fou.

— Tu aurais pu attendre quelques jours et t'aurais eu un dentier neuf, papa.

— Impossible.

— Et pourquoi donc?

— Il y a une nouvelle pensionnaire, ma fille, Mireille Portelance. Une femme qui a beaucoup de classe. Elle fait soixante-cinq, soixante-six ans maximum. Tous les hommes de la résidence encore en forme lui tournent autour. Je pouvais pas attendre d'avoir mon nouveau dentier et de voir le train passer. M'aurais-tu vu lui faire des avances sans dents?

Tout ce bordel pour une histoire de femme… Geneviève n'en revenait pas.

— Soixante-six ans… Elle n'est pas un peu jeune pour toi, papa?

— Elle a l'air de soixante-six ans, mais Arthur Bonneville m'a dit qu'elle en avait soixante-quatorze.

— Bon, de toute façon, le plus urgent est de régler ces histoires de dentiers et de télé. Je suis loin comme tu le sais, mais je sais qui peut t'aider. Tante Monique. Elle habite à deux pas de la résidence. Je vais lui dire de passer. À vous deux, vous convaincrez les gens de la résidence que tout ça n'est qu'un malheureux malentendu, d'accord?

«En espérant qu'il ne s'agisse que de cela», se dit Geneviève un instant plus tard en raccrochant, après avoir promis à son père de le rappeler le dimanche.

Entre deux clients, Geneviève écrivit à sa tante Monique pour la mettre au parfum. Elle lui raconta toute l'histoire avec moult détails et l'implora d'aller rencontrer Michel Simon, à la résidence, afin de tirer tout cela au clair. Elle était moyennement convaincue de l'innocence de son père, mais quoi qu'il allait arriver, il fallait avoir l'heure juste.

— J'ai oublié de te dire que ton cousin était passé tout à l'heure, quand tu étais chez le directeur, dit Rosie. Il m'a dit qu'il reviendrait cet après-midi. Il s'est commandé une séance chez le massothérapeute suédois. Il voulait quelque chose de très vigoureux. Il avait l'air bien amoché. Vous avez abusé hier soir? demanda-t-elle en lui faisant un clin l'œil.

— Le pauvre, en sortant du restaurant japonais, il a glissé sur une flaque d'eau et s'est heurté la tête.

— C'est du côté de ta mère ou de ton père?

Geneviève regarda sa collègue d'un air interrogatif.

— Je veux dire... C'est ton cousin de quel côté de ta famille?

— Euh... de ma mère. C'est le fils du frère de maman.

Comme sa mère avait eu quatre sœurs et pas de frère, elle sentit que son mensonge n'impliquait personne d'autre qu'elle-même.

— Alors ta mère est une Sansregret? dit Rosie en pouffant de rire. T'as de la chance de ne pas être née à l'époque des doubles noms de famille!

— Non, c'est une Séguin, dit Geneviève, qui réalisa en le disant tout haut que si son cousin était bel et bien le fils du frère de sa mère, effectivement, sa mère avait de bonnes chances de s'appeler Sansregret.

— Je veux dire… le père de mon cousin porte un autre nom de famille. Premier mariage…

— Trop compliqué pour moi! dit Rosie. Vive les familles italiennes. Un mariage à la vie, à la mort. En tout cas, ça te fait un cousin plutôt éloigné, ajouta-t-elle en lui faisant un clin d'œil. On pourra pas vous accuser d'avoir des relations incestueuses!

— Rosie!

— Ben quoi, il te regarde pas vraiment comme un cousin, je peux te le dire.

L'arrivée d'un couple dans la trentaine mit fin à cette conversation que Geneviève jugeait plus ou moins appropriée.

L'homme était fébrile. Il avait une liste d'une vingtaine d'activités à faire avant son départ du Princess Azul, le lendemain soir. Sa conjointe n'était pas en reste, même si ses demandes étaient plus réalistes.

Ils affichaient tous les deux les signes habituels de déprime et semblaient habités par un sentiment d'échec. Ils n'en avaient pas fait assez, n'avaient pas profité au maximum des mille merveilles du complexe hôtelier. Pourtant, le couple s'était pointé tous les jours au bureau de Geneviève pour y réserver un tas d'activités. Mais ça n'était pas assez.

— On n'a même pas filmé la troisième sortie en cata-maran, se plaignit la dame. Trop de vagues. Eduardo nous a conseillé de laisser les caméras à terre.

— Au moins toi, tu as fait une troisième sortie en cata-maran. Moi non.

— T'étais à ton deuxième tour d'équitation!

— T'haïs l'équitation, sinon t'en aurais sûrement refait dix fois.

Geneviève sentit qu'il était temps d'intervenir avant que la femme ne fonde en larmes.

— Mais vous reviendrez!

— Ben oui, c'est pas vous qui payez pour venir ici, on vous paye pour être là!

«Pas sûr que ce gars-là se taperait ma job», se dit Geneviève en leur adressant son plus beau sourire.

En entrant au restaurant ce midi-là, Geneviève vit Sylvia en grande discussion avec l'une des membres de la famille «maudite», ces gens de Liverpool que l'agente britannique détestait à s'en confesser depuis le début de la semaine, les jugeant indignes de faire partie de l'humanité. Elle riait et montrait à la dame, une rousse plutôt corpulente, une photo que Geneviève devina de loin être celle de son petit-fils Hannibal.

En la voyant, elle lui fit un petit signe de la main lui indiquant qu'elle irait la rejoindre à sa table.

Geneviève avait encore l'estomac barbouillé, aussi se concentra-t-elle sur la section des salades. Elle reconnut Julie Turbide, qui était en train de prendre des photos de ses deux enfants avec un des serveurs, Emerson, un de ceux qui participaient chaque semaine au spectacle du vendredi soir. Si Geneviève avait bonne mémoire, il jouait des airs connus à l'aide de casseroles et d'instruments de cuisine. Toujours un grand succès.

La femme de Stéphane Dicaire semblait ravie de la voir. Son mari avait enfin pu consulter « l'aidant professionnel Fritz-Aimé », comme elle l'appela devant les enfants. Il était revenu dans un drôle d'état, mais la séance avait porté fruit.

— Il m'a dit : « Maintenant, je sais quoi faire. » Alors je lui ai demandé : « Tu vends ou pas ? » Il a répondu : « Je détruis. » Selon ce que j'en comprends, c'est une métaphore pour signifier qu'il va procéder à la vente de VisPro. Ça me fait de quoi, quand même… Je ne l'ai connu que travaillant là-bas.

— Papa a l'air d'un zombie, dit un garçon d'une douzaine d'années en mimant un être aux yeux exorbités, la bouche ouverte et la tête penchée vers l'arrière.

— Éloic ! Ne dis pas ça de ton père. Il était juste un peu exténué de sa rencontre avec le monsieur de la montagne. Le… psychologue industriel. Je crois que c'est très intense comme expérience, dit Julie Turbide en se tournant vers Geneviève.

— Maintenant, je sais quoi faire, répéta une demi-douzaine de fois, en imitant une grosse voix un peu traînante, une fillette qui semblait âgée de dix ou onze ans.

— Rozanne, pas toi aussi ! Ayez du respect pour votre père ! C'est grâce à lui que vous êtes ici.

— Ils se sont bien amusés même s'il n'y avait pas beaucoup d'enfants ? demanda Geneviève.

— Oui, énormément. Quel merveilleux endroit !

La petite Rozanne se brida les yeux et se mit à parler en chinois.

— Et oui, Rozanne, il y avait du mandarin au programme, mais c'est normal. Vous vouliez retourner avec du retard à l'école ? Tu veux qu'Éloic rate ses examens d'entrée au secondaire privé et se retrouve à la polyvalente du coin ?

Là-dessus, le garçon émit un rot sonore, ce qui fit éclater de rire les deux enfants.

Geneviève leur souhaita une excellente fin de séjour et alla rejoindre sa copine Sylvia, qui avait pris place à une table près de la fontaine. Elle était d'excellente humeur.

— J'ai rêvé, ou tu étais en grande conversation avec un des « déchets de Liverpool », comme tu les appelles ?

— J'ai mal jugé cette famille, Gen.

— Mais t'as pas dû passer une nuit blanche à tenter de les calmer parce qu'ils hurlaient à mort et que ça a réveillé la moitié de l'aile D ouest ?

Sylvia leva les yeux au ciel et fit un geste de la main qui signifiait : « Que des peccadilles, tout ça… »

— Il ne faut pas se fier aux apparences.

Geneviève lui lança un regard interrogateur : « Quoi, alors ? »

— Il se trouve que ce sont des gens très bien. D'honnêtes travailleurs.

— C'est une blague ? Tu m'as dit qu'ils étaient sur l'aide sociale de père en fils et de mère en fille.

— Oui, ils reçoivent des subsides de l'État britannique. Mais ils travaillent à améliorer la vie de leur quartier.

— Ah bon ? Et comment ?

Sylvia resta vague. Il était question de gestion d'ordures et de surveillance de parkings... Et puis, elle lâcha le morceau.

— L'autre nuit, tu sais, quand je suis intervenue... Le lendemain matin, un des gars de la famille, Liam, m'a remis une petite enveloppe. Tu sais ce que ça contenait ?

« Non, mais tu vas me le dire », dit Geneviève.

— De la marijuana ! Et de la mari d'ici ! Je n'oserais jamais sortir du *resort* pour en acheter, mais là, comme petit cadeau, j'ai trouvé ça vraiment adorable. J'en ai fumé hier soir avec Liam et son frère, Robert. On a vraiment eu du plaisir. Tous mes vilains préjugés sont partis... en fumée ! dit-elle, satisfaite de son jeu de mots. Et toi, avec ton gastroentérologue ?

Geneviève lui raconta la soirée, dans l'ensemble agréable, si ce n'avait été du regard de feu de Federico del Prado et de la découverte d'un Francisco agonisant.

— Mais au moins, on sait maintenant pourquoi il y avait cette épidémie de boutons. Je suis revenue dans les bonnes grâces du directeur général ! Il a été adorable avec moi ce matin. Pourvu que ça dure !

— Quelle belle soirée nous avons passée, Geneviève ! Même si la fin a été, disons, un peu chaotique !

Pierre Sansregret semblait en bonne forme, vu les circonstances. La séance de massothérapie avait visiblement eu des effets bénéfiques.

Geneviève acquiesça, l'air le plus neutre possible. Elle sentait que Rosie ne ratait pas un mot de leur conversation.

— Bravo pour avoir soigné ce pauvre Francisco, dit l'agente. Vous avez fait preuve de beaucoup de courage. Notre directeur a félicité Geneviève, ce matin.

Cette dernière la remercia.

— Ça a été un travail d'équipe, disons.

— Je ne peux pas croire que je repars déjà demain, poursuivit le docteur Sansregret en regardant Geneviève intensément dans les yeux.

— Eh bien! Il n'en tient qu'à toi de revenir, lui lança-t-elle joyeusement.

— C'est dans mes plans, répondit-il, et plus tôt que tard.

Geneviève était quelque peu mal à l'aise. Elle éprouvait une grande affection pour le gastroentérologue. Elle le trouvait drôle, charmant, des qualités qu'elle avait toujours recherchées chez ses petits amis. Lorsque Paul l'avait quittée, sa première réaction avait d'ailleurs été de se dire, pour se consoler : «Il ne me faisait même plus rire, le salaud. Il était devenu plate.»

Mais quoi d'autre que cette tendresse éprouvait-elle pour l'énergique quinquagénaire? Elle ne le savait pas trop. Pierre Sansregret, de son côté, avait l'air d'avancer avec plus d'assurance sur ce terrain.

— As-tu réservé ta place dans un resto ce soir, Pierre?

— Non. Je voulais… je me disais que j'aurais plus de chance de passer du temps avec toi si je me contentais du buffet. Et puis, on m'a dit de ne pas rater le spectacle de ce soir!

— J'aimerais tellement avoir un cousin comme le tien, Geneviève, doux, affectueux, aimable. Il me semble que les miens sont des brutes à côté de vous, dit Rosie, qui avait grandi dans une famille italo-montréalaise nombreuse.

Et pas un n'a l'intention de venir me voir ici... Remarquez que je m'en plains pas.

— Cousin, cousin, répliqua Pierre Sansregret, qui éclata d'un rire sonore que Geneviève jugea complètement déplacé.

— Très cher cousin, je te vois en soirée. Mais là, je dois travailler, dit Geneviève en montrant du menton une dame qui venait d'entrer dans le bureau.

Florence Pisani passait presque tous les jours au bureau de Tour Exotica, essentiellement pour partager ses impressions sur ses activités de la journée et demander conseil concernant celles à ne pas manquer. Elle en profitait pour raconter sa vie. Elle était venue seule et répétait combien elle était heureuse d'avoir fui ses deux adolescents, laissés à Laprairie avec leur père.

— Une semaine, c'est déjà ça de pris. Mon aîné m'ignore et le deuxième me demande tellement de temps... Il pratique cinq sports d'élite, dont la crosse. Je vous dis ça parce qu'il y a peu de joueurs de crosse au Québec, alors on fait facilement deux cents kilomètres pour chaque match. Je me sens comme si j'avais cent ans, alors que je n'en ai que quarante-cinq.

Le hic, c'était qu'elle parlait constamment d'eux. Comme tentative de décrochage, Geneviève avait vu mieux. Si elle l'avait eue couchée face à elle sur son divan, elle aurait franchement dit à la sympathique dame d'essayer d'oublier ses fils pendant quelques heures.

— Ma semaine est presque finie! dit la femme, qui feignait un grand drame intérieur. Elle cachait mal sa joie à l'idée de retrouver sa petite famille. Geneviève, regardez ce que j'ai acheté pour les garçons au marché d'artisanat. Quel endroit coloré et pittoresque!

Florence Pisani déballa deux petites figurines aux couleurs vives, l'une représentant un lézard et l'autre, un coq.

— C'est très joli, dit Geneviève, en se demandant bien ce que deux ados feraient de ce genre de décoration. Elles disparaîtraient sans doute à jamais sous une pile de linge sale ou sous des détritus de *fast-food*. Et lequel est pour lequel? demanda-t-elle.

— Le lézard est pour Simon et le coq, pour Alexandre, répondit Florence Pisani sans donner plus d'explications sur la signification de ses choix animaliers. Et ceci, pour mon mari, ajouta-t-elle en déballant un masque grossier taillé dans un bois rudimentaire. Geneviève se prit une écharde en glissant son index sur la surface rugueuse.

— Ouch!

— Oui, il faut faire attention, dit madame Pisani. Ça sera parfait pour David. Bon, je vous laisse, je vais profiter de mes derniers moments au chaud soleil de Punta Cana. J'ai vu qu'il pleuvait à boire debout à Montréal. Et on n'est pas encore en novembre…

Geneviève profita de cette accalmie pour aller voir ses courriels. «Je m'occupe de tout», lui avait répondu sa tante Monique. «Parfait», se dit Geneviève. On allait pouvoir tirer toute cette histoire au clair. Il aurait été impossible d'avoir l'heure juste uniquement avec son frère Luc. Tout d'abord parce qu'il semblait très occupé par l'organisation de la manifestation des ramoneurs du Québec, qui devait avoir lieu le lendemain devant l'hôtel de ville de Montréal. Et puis parce que son père faisait de la rétention d'information avec lui. Il avait en effet toujours pensé qu'un rien pourrait l'anéantir, alors il lui épargnait les mauvaises nouvelles ou même celles, banales, qu'il considérait comme sensibles.

«Ton frère est trop " émotionnable", lui répétait-il sans arrêt. Quoiqu'il en soit, c'était elle qui gérait tous les petits et gros problèmes de son père. Même à distance.

La piscine ne connaissait pas la même animation féminine les vendredis, puisque c'était le jour de congé de Gonzalo Resurrección. Les remplaçants se succédaient, selon les horaires impartis à chacun, la plupart travaillant à la plage comme animateurs. Malgré leurs efforts, aucun ne faisait le poids comparé au don juan.

Ce vendredi semblait pire qu'à l'accoutumée. Ernesto n'avait que trois clients dans l'eau, et tous grimaçaient. L'un d'eux, un Américain dans la cinquantaine, finit par sortir de la piscine. En voyant Geneviève dans ses habits officiels d'employée du Princess Azul, il se plaignit d'être en train de brûler vif dans l'eau.

— C'est du chlore ou du napalm que vous mettez là-dedans? demanda-t-il en se grattant frénétiquement la peau. Même ses nombreux tatous semblaient pâlots.

Geneviève se souvint que Federico del Prado avait demandé un niveau maximal de chlore dans l'eau, à la limite du sécuritaire, pour empêcher toute prolifération de ce qu'on croyait alors être une bactérie ou un virus virulent. Visiblement, les mesures d'alertes n'avaient pas été levées.

— C'est inhabituel qu'il y ait autant de chlore, mais rassurez-vous, c'est sans danger.

— Vous direz ça à mes yeux. Je vois des halos verts, Madame.

Geneviève savait exactement de quelles sortes de halos il s'agissait. Elle en avait vu des milliers de fois, enfant, après ses journées à la piscine L'Acadie, où on exagérait aussi la dose de liquide javellisant.

Elle quitta rapidement l'enceinte de la piscine et se dirigea vers son studio. Il fallait décider de sa tenue de la soirée. Ça devait être relax, mais néanmoins approprié.

Après une douche fraîche, qui enleva un peu de la moiteur de la journée sur sa peau, Geneviève se servit un verre de blanc du Rioja. Elle s'installa sur sa terrasse, puis lut ses courriels. Son amie Isabelle revenait à la charge. « Hello ? Es-tu toujours en vie ? »

« Bon, il faudrait bien que je lui écrive », se dit Geneviève. Elle ne restait jamais en brouille très longtemps avec ses amis. Elle ne la relancerait pas au sujet de son allusion concernant les similitudes de son départ avec la fuite de sa mère.

Bonjour!

Je vais bien, rassure-toi. J'ai eu une semaine, disons, très chargée. Quelques soucis avec papa à sa résidence. Et je t'épargne les détails, mais on a eu la frousse ici avec une épidémie mystérieuse à l'hôtel. Tout est maintenant rentré dans l'ordre. Les prochains jours devraient être beaucoup plus tranquilles. Sinon, j'aime de mieux en mieux ma vie ici, au Princess Azul. Je me sens complètement ailleurs, je pense que ça me fait du bien, même si le quotidien n'est pas toujours évident, avec toutes ces demandes des clients, leurs angoisses, leurs insatisfactions, etc. Je fais beaucoup de psychologie, finalement! Et je rencontre des gens très intéressants. Bien sûr, je m'ennuie des enfants, de toute la gang, mais bon, je t'avoue qu'avec Internet, je me sens moins loin que quand je suis partie pour la première fois en Europe à vingt et un ans!

Elle termina son message en demandant à son amie quelle semaine celle-ci avait réservé son séjour à Punta Cana. Elle aurait quelques trucs à faire venir de Montréal. «Comme du Ritalin ou du Concerta», se dit-elle, afin de soigner une fois pour toutes son déficit d'attention. Sans doute le docteur Sansregret pourrait-il lui prescrire quelque chose.

— Bordel, je rêve!

Geneviève venait de mettre les pieds sur le parterre qui faisait face à la scène extérieure du Princess Azul, là où se déroulerait le spectacle en soirée. On y avait aménagé des chaises et des tables en plus grand nombre que le reste de la semaine. Et c'était depuis l'une d'entre elles que Geneviève avait vu un homme lui faire de grands signes des bras. Pierre Sansregret était assis en compagnie de l'équipe de soccer polonaise au grand complet, Piotr à ses côtés.

Comment cela était-il possible? Et quelle attitude adopter?

Elle fit un signe de la main au gastroentérologue et un sourire lui indiquant qu'elle viendrait le rejoindre plus tard. Elle fit semblant d'avoir une affaire urgente à régler. Mais laquelle? Elle vit Michelle, assise seule dans un coin en train de lire un magazine. Elle se rua vers sa table.

— Je peux m'asseoir?

— Oui, bien sûr.

Geneviève sortit de son sac un crayon et un calepin qu'elle traînait toujours avec elle pour noter les demandes de clients attrapées sur le pouce.

— Faisons semblant de discuter de quelque chose d'important ou d'urgent...

Michelle eut l'air surprise.

— Oui, eh bien, faisons semblant...

Geneviève se mit à prendre des notes de manière frénétique. Il fallait que Pierre Sansregret la croie inatteignable. Le temps qu'elle réfléchisse à la manière de se sortir de ce faux pas sans perdre la face.

— Tu savais qu'Olessia allait raconter une légende ukrainienne? demanda Geneviève.

— Ce soir? Au spectacle? Non, je l'ignorais. Elle a bien du courage... Moi, je serais trop gênée pour monter sur scène. Et j'ai bien hâte d'entendre le grand patron chanter de l'opéra! Je peux pas l'imaginer.

— Moi non plus, répondit Geneviève en rougissant légèrement sans trop savoir pourquoi.

— Il est tellement... snob, poursuivit Michelle. Mais qu'est-ce que tu notes comme ça?

— Rien de particulier, Michelle, je fais juste semblant d'être occupée. Je fuis une situation gênante.

Deux autres collègues de l'hôtel, l'agente à destination brésilienne Romualda, ainsi que celle représentant un voyagiste japonais, Kioko, vinrent s'asseoir en leur compagnie. Au loin, on voyait Arno s'affairer aux derniers préparatifs.

Alors que le petit groupe discutait de tout et de rien, Geneviève sentit une main sur son épaule.

— Cousine, as-tu quelques minutes?

Elle se tourna et vit Pierre Sansregret debout derrière elle, l'air interrogateur. Elle le prit un peu à l'écart.

—Bien sûr, Pierre, désolée de ne pas avoir été te rejoindre plus tôt, je devais aider l'animateur de la soirée, Arno, dans ses derniers préparatifs...

—Arno... Dis-moi, est-ce que c'est le frère du chanteur Renaud?

—Je ne sais pas... Possible, oui.

—Ils sont vraiment pareils... Écoute, je ne veux pas m'immiscer dans ta vie personnelle, mais je crois que Piotr et toi avez besoin d'une bonne discussion mère-fils...

Geneviève le regarda d'un air mi-interrogatif, mi-suspicieux.

—Je me suis permis d'aller jaser un peu avec lui. Tu sais, si on devient... amis, il est important que nos enfants sachent à qui ils ont affaire... Quoi qu'il en soit, au début, il ne comprenait ni qui j'étais, ni qui tu étais. J'ai pensé qu'il ne parlait pas anglais, je lui répétais: «Ta maman, tu sais, Geneviève...» Il comprenait le terme «maman», mais m'a dit que... je ne veux pas que tu le prennes mal, Geneviève.

Le gastroentérologue lui prit la main.

—Il m'a dit que sa maman s'appelait Maria et qu'elle était infirmière à Wroclaw... Je sais que ça arrive chez les jeunes qui ne sont pas élevés par un de leurs parents, qui en ont été séparés. Ils ont tendance à le rejeter... faire comme s'il n'existait pas. C'est cruel...

—Oui, c'est une forme de protection, répondit Geneviève, qui embarquait dans l'analyse psychologique de son «fils», oubliant le rôle qu'elle avait joué dans sa névrose. Le cerveau, qui a enregistré une souffrance importante, élimine l'événement ou la personne qui en est la cause. Un genre de choc post-traumatique.

—Geneviève, je suis tellement désolé. Je voulais bien faire...

Elle le regarda avec tendresse.

— Pierre, je sais… Maintenant, on doit laisser Piotr avec ses amis. Il voulait peut-être juste ne pas en parler. Il est si jeune, si fragile…

Curieusement, elle n'éprouvait plus le besoin d'éclaircir la situation avec le gastroentérologue. Comme si l'occasion ratée de la veille avait été la dernière possible.

Un poids de moins sur les épaules, elle l'invita à s'asseoir à leur table, ce qu'il accepta volontiers. Sylvia, qui venait de se joindre au groupe, se fit présenter et partit d'un grand éclat de rire lorsqu'elle serra la main du gastroentérologue.

— Ah! C'est vous, le cousin!

Le parterre était plein, à présent. Il était près de vingt et une heures, la nuit était tombée. La chaleur demeurait accablante et l'humidité, très élevée. Le fond de l'air regorgeait de parfums que Geneviève ne pouvait identifier.

Elle vit avec plaisir Myriam Lalumière, assise parmi un groupe de jeunes filles près de la scène. Elle lui fit un petit signe de la main. Il faisait noir, et il était impossible à cette distance de voir s'il restait des stigmates de l'éruption cutanée. La fausse patiente zéro semblait en forme. Geneviève avait appris que la plupart des clientes avaient reçu leur congé d'hôpital, hormis le groupe de Coréennes, qui avaient été parmi les dernières à être couvertes des affreux boutons. Elles recevaient toujours des traitements, tout comme Francisco, par ailleurs, dont l'état avait été stabilisé.

Non loin d'elle, Geneviève reconnut Julie Turbide, assise en compagnie de ses enfants, Éloic et Rozanne, mais sans son mari, Stéphane. Il devait être encore prostré dans sa chambre, à visionner *ad nauseam* les témoignages sur le site Internet de Fritz-Aimé. «Quelles vacances gâchées», se dit Geneviève.

L'arrivée des musiciens sur scène provoqua une salve d'applaudissements. Ils entamèrent aussitôt l'air du tube de l'été précédent, *Ai se eu te pego*, du Brésilien Michel Tello. Romualda hurla de joie. Mais elle se raidit lorsque Arno se mit à la chanter.

— Il ne dit pas les bonnes paroles! répétait-elle. C'est n'importe quoi! Mais comme personne autour de la table ne comprenait le portugais, ses protestations restèrent sans suite. Elle s'emmura dans un silence désapprobateur.

Le reste de l'assemblée était d'un enthousiasme débordant. Ce fut dans cette atmosphère joyeuse que défilèrent les cuisiniers à la danse lascive, puis l'ex-gymnaste bulgare. Accompagnée d'une musique endiablée, cette dernière enchaînait les pirouettes et les saltos arrière et avant à un rythme de plus en plus rapide. À la fin, on ne voyait plus que le halo de son corps qui virevoltait. L'assistance était époustouflée.

Puis vint le tour de Gonzalo Resurrección, et l'habituel chœur féminin se déchaîna. Comme prévu, il entama le vieux succès de Frank Sinatra, *I've got you under my skin*. Un groupe de jeunes filles montèrent sur scène, hystériques, vite réprimées par un gardien de sécurité qui les repoussa sans ménagement. Gonzo se faisait aller les hanches à la manière du jeune Sinatra et sa voix, chaude et sensuelle, emplissait la nuit torride.

Les spectateurs étaient survoltés.

Geneviève plaignait dans son for intérieur la pauvre personne qui aurait l'odieux de venir juste après la spectaculaire prestation du don juan du Princess Azul.

C'était en fait Olessia, qui avança timidement sur scène.

Elle était vêtue d'une robe visiblement folklorique et sans doute ukrainienne, se dit Geneviève, fascinée par les motifs tailladés rouge et blanc. L'accoutrement d'Olessia lui rappelait Fanfreluche, la conteuse d'histoires qui avait bercé sa petite enfance à la télévision. Et les nattes blondes que sa collègue avait nouées sur sa tête lui faisaient penser à la politicienne emprisonnée sous de fausses accusations en Ukraine. Comment s'appelait-elle déjà? Geneviève prit son cellulaire et entra les mots-clés «Ukraine», «dissidente» et «prison» sur Google. Les images de la belle Ioulia Timochenko apparurent.

Son sosie, Olessia, s'était pendant ce temps assise sur un tabouret.

Elle présenta son conte comme une adaptation libre d'une légende des Carpates intitulée *La nuit de Kupula*.

Il était question de jeunes gens nageant dans les eaux d'une rivière fertile, puis sautant par-dessus des flammes au cours d'un rite de passage obligé de purification rituelle et de bravoure. Un couple, Leshek et Ivana, rataient leur saut, pour ainsi dire, car ils ne pouvaient maintenir leurs mains ensemble alors qu'ils étaient au-dessus des flammes. Selon la légende, cela signifiait que leur amour était voué à l'échec.

Il n'y avait qu'une façon pour Leshek et Ivana d'échapper à ce tragique destin: trouver une fleur de fougère, qui ne poussait que durant cette nuit-là de l'année, la nuit de Kupula...

Les deux jeunes gens s'enfonçaient donc dans la forêt sombre et dense, tandis que leurs amis, au destin moins compromis, flottaient sur des couronnes de fleurs, dans la rivière, entourés de bougies et envoûtés par les chants des poissons.

Leshek et Ivana ne l'avaient pas facile. Ils rencontraient une horde de loups, des esprits hostiles et une bande de Roumains inamicaux qui leur lançaient par la tête un plat typique des Carpates, du tokan, une bouillie de maïs accompagnée de fromage de brebis.

Enfin, Leshek devait se battre à mains nues avec un ours enragé.

Geneviève était captivée par le récit. Mais il n'en allait pas de même pour l'assemblée. Les conversations se faisaient de plus en plus nombreuses et fortes. Le hic, c'était qu'Olessia racontait sa légende en anglais et en espagnol, en alternance, sans traduire le passage précédent. Ceux qui ne maîtrisaient pas les deux langues, c'est-à-dire la grande majorité de l'auditoire, sautaient donc du coq à l'âne. Ils ignoraient, par exemple, qu'Ivana avait sauvé Leshek des griffes de l'ours en demandant l'aide d'un esprit bienveillant, ou que ce que le jeune couple avait cru être une fleur de fougère n'était en réalité que de vulgaires pissenlits géants.

— Qu'est-ce qu'elle raconte? demanda Pierre Sansregret. Qu'est-il arrivé de l'ours enragé? Comment ont-ils fait fuir les Roumains hargneux? Et puis, ils l'ont trouvée, ou pas, leur maudite fleur?

Lorsque l'Ukrainienne termina son histoire, plus personne ou presque ne l'écoutait. Geneviève dut redoubler d'efforts pour comprendre que Leshek et Ivana avaient finalement trouvé la fleur de fougère dans un coin reculé de la forêt. Ils avaient été guidés par une vieille femme qui avait pris racine dans un hêtre géant ukrainien, une espèce aujourd'hui en danger, avait précisé Olessia.

Depuis, ils se prélassaient avec leurs amis sur des couronnes de fleurs, dans la rivière fertile.

Olessia salua longuement la foule. Elle semblait ne plus vouloir quitter la scène, et ce fut Arno qui vint gentiment la raccompagner sur le plancher des vaches.

Le numéro suivant convenait davantage à l'humeur des vacanciers. Des jardiniers de l'hôtel ainsi que le professeur de tennis, s'amenèrent avec des instruments de percussion.

Puis vint le numéro totalement déjanté des cinq gardiens de sécurité du Princess Azul, dont le colosse Hugo, qui exécutèrent la chorégraphie de *Y.M.C.A.*, déguisés à la manière des gars de Village People. Les spectateurs étaient debout, frappant dans leurs mains, hilares.

Ce fut dans cette ambiance festive que le maître de cérémonie, Arno, vint présenter ce qu'il qualifia de «clou du spectacle».

— Il ne nous fait l'honneur de sa présence qu'une fois tous les six mois, et vous avez la chance de faire partie de ces privilégiés. Accueillons le directeur général du Princess Azul, Federico Armando del Prado Mayor, qui nous interprète un air de l'opéra *Goyescas*!

La foule applaudit chaleureusement l'arrivée du directeur.

Geneviève était en émoi. Elle se sentait aussi nerveuse que lorsqu'elle assistait aux spectacles scolaires des jumeaux. Si Balthazar s'en tirait toujours bien, lui qui était un comédien-né, sa sœur Anne était timide et manquait d'assurance. Elle oubliait ses textes, bafouillait, se pétrifiait ou pire encore, se liquéfiait sur place. Pour sa mère, c'était souvent une séance de torture.

Federico del Prado avait délaissé le sobre complet cravate pour revêtir une immense cape rouge et des bottes noires, dans le style Chat botté. «Il est magnifique», se dit Geneviève, subjuguée. La foule se fit silencieuse. On entendait tout juste le son des criquets.

Le pianiste commença à jouer un air d'accompagnement, un peu hésitant. Visiblement, il ne jouait pas souvent cet opéra.

Après une minute d'introduction, la voix du directeur général emplit la nuit. Elle était d'une puissance surprenante pour un homme de cette taille.

Geneviève ferma quelques instants les yeux, transportée. Elle lévitait. Elle n'était plus au Princess Azul parmi une horde de touristes de passage, mais quelque part dans une salle d'opéra sophistiquée, entourée de femmes en robes longues et d'hommes portant le monocle.

La réalité la rattrapa. On entendit dans l'assistance quelques murmures, puis des pleurs de jeunes enfants. «Trop intense pour d'aussi jeunes oreilles», jugea Geneviève.

Elle vit Sylvia, pliée en quatre, se boucher les oreilles. Geneviève était outrée. Elle pouvait bien s'entendre comme larron en foire avec ses prolos de Liverpool!

— Geneviève, lui glissa Pierre Sansregret à l'oreille, tu connais cette citation de Gioacchino Rossini? «Comme l'opéra serait merveilleux s'il n'y avait pas de chanteurs!»

Geneviève lui lança un regard de feu. Un autre ne pouvant apprécier l'art lyrique, qui demandait un tant soit peu d'efforts d'écoute.

En raison de l'intensité dramatique, Federico del Prado avait fermé les yeux. Son corps tout entier était secoué de spasmes. Il était au bord de l'implosion. Le *crescendo* dramatique semblait atteindre son apogée, même si personne ne comprenait quoi que ce soit à l'intrigue de l'opéra.

Ni ne voyait le tracteur jaune qui fonçait à toute allure vers la scène.

Stéphane Dicaire s'était décidé à quitter sa chambre aux alentours de vingt-deux heures. Il se sentait bien depuis sa séance du matin chez Fritz-Aimé. Ça n'avait pas été facile. Le sorcier avait commencé par tourner autour de lui sans fin, en dansant et en chantant, agitant un récipient dont émanait de la fumée. À un moment donné, l'entrepreneur voyait quatre bras, autant de jambes et deux têtes à Fritz-Aimé, et se demanda confusément ce qu'il y avait dans cette fumée blanchâtre.

Au terme de la séance, il avait enfin compris ce qu'il avait à faire. La révélation avait été surprenante, mais Stéphane devait l'accepter. Il lui manquait cependant quelque chose : un chalet hanté par une âme malfaisante qu'il fallait détruire.

Il verrait ça à son retour au Québec.

Sa famille était en train d'assister à un spectacle, et il décida d'aller les rejoindre. Sur le chemin qui le menait à sa destination, il remarqua, mais sans les comprendre, les regards des gens, gênés, curieux, quelques-uns crampés de rire. C'était comme s'ils voyaient à l'intérieur de lui-même. Trop fort...

À mesure qu'il se rapprochait de la scène, une voix se fit de plus en plus forte. Intense. «À la limite du supportable», se dit Stéphane Dicaire. Si son corps avait été fait de verre, il aurait explosé en mille morceaux sous l'effet de cette voix maléfique. Or, sa famille était là-bas, et peut-être était-elle en péril.

Il décida de s'approcher discrètement via l'arrière-scène. S'il fallait intervenir, mieux valait que ça se fasse par surprise. C'est alors qu'il vit le diable. Il était vêtu d'une cape rouge, portait de longues bottes noires, son corps tremblait, et de sa bouche sortait la voix des Ténèbres. La révélation de Fritz-Aimé! Le chalet était une métaphore de cette scène à la structure chambranlante! Il lui fallait détruire cette vision de l'enfer. Il aperçut alors un vieux tracteur abandonné dans un coin. Il y grimpa et, par chance, la clé se trouvait dans l'interrupteur. Il fit partir le moteur et fonça vers la scène.

Ce fut un groupe de touristes nippons assis à l'avant qui, les premiers, sonnèrent l'alarme. Tagomashi Yakamushu était peut-être devenu sourd comme un pot au fil des ans, mais il n'était pas aveugle. Il observait depuis quelques minutes les mouvements saccadés et chaotiques d'un vieux tracteur. Il arracha son masque antimicrobes, secoua le bras de sa fille et lui hurla qu'un tracteur fonçait sur eux. Elle-même avertit son mari, ses beaux-parents, les enfants, et toute la tablée se leva en faisant de grands signes au reste de l'assemblée.

Geneviève trouvait que l'attitude de la famille nipponne, ou était-ce des Coréens, était complètement déplacée. Ils s'étaient tous levés alors que Federico del Prado entamait un vertigineux *crescendo* qui semblait le faire léviter. Son visage avait pris une couleur cramoisie, en harmonie avec sa magnifique cape.

Elle jeta des regards désespérés sur sa collègue, Kioko, pour l'implorer de contrôler ses compatriotes bruyants et indisciplinés. Mais celle-ci se leva aussi d'un bond, tout comme le reste de l'assemblée. Confuse, Geneviève se leva aussi, juste à temps pour apercevoir un tracteur jaune foncer sur la scène, détruisant tout sur son passage. Horrifiée, elle vit Federico del Prado se faire soulever dans les airs et atterrir, comme le pantin désarticulé de son rêve, dans un amas de ruines. Puis, un des gardiens de l'hôtel, celui déguisé en cowboy de *Y.M.C.A.*, se rua sur le chauffeur du tracteur, l'empêchant de continuer son œuvre dévastatrice.

Julie Turbide ne reconnut son mari que lorsque les deux types costauds qui dansaient sur *Y.M.C.A.* quelques minutes plus tôt, le cowboy et l'Indien, l'extirpèrent violemment du siège du tracteur. Il hurlait au diable, sacrait comme un charretier, se débattait et tentait d'arracher la coiffe de l'indien. Mais surtout, il était complètement nu. Son minuscule pénis, seul complexe de cet homme autrement sûr de lui, gigotait dans tous les sens. «Comme un petit poisson des chenaux lorsqu'il mord à l'hameçon», se dit Julie, qui se rappelait ceux pêchés l'hiver précédent lorsque toute la famille s'était rendue à Sainte-Anne-de la-Pérade.

Mon dieu, les enfants! Elle leur cacha les yeux, mais le mal était fait: eux aussi avaient reconnu leur père dans celui qui venait de détruire la scène de spectacle du Princess Azul.

La femme de Stéphane Dicaire était en état de choc. Son mari avait toujours été un homme normal, sensible, attachant, plein de bon sens. Un père exemplaire. Et un gros travailleur, qui ne comptait pas ses heures passées à la PME familiale. Ses seules folies, il les faisait avec le Labrador brun de la famille, Champion, avec qui il se roulait durant des heures sur le gazon du bungalow familial.

Mais depuis cette offre d'achat de VisPro, Stéphane n'était plus le même homme. Il était indécis, tourmenté, agité. Le fait que ses frères et sœur fussent eux-mêmes divisés quant à la décision à prendre accentuait son anxiété.

Lorsqu'il avait parlé de ce séjour dans un tout-inclus de Punta Cana, Julie s'était dit que cette pause arrivait au bon moment et qu'une semaine sous les tropiques redonnerait la paix d'esprit à son mari.

C'était dans l'avion qu'il lui avait glissé un mot sur ce sorcier qu'il voulait rencontrer. Un client de VisPro lui en avait parlé. Le sorcier lui avait apparemment ouvert les yeux sur des zones troubles de son passé et depuis, il ne s'en portait que mieux, même si cela lui avait coûté son mariage, sa maison et son boulot.

Julie Turbide n'y avait rien vu de bien menaçant. Elle avait toujours cru au pouvoir des médiums et raffolait de l'émission *Enfants medium*, à Canal Vie. Si ce type pouvait aider son mari, pourquoi pas?

Mais le sorcier du Princess Azul était visiblement un être malicieux. Il avait transformé son adorable mari en terroriste. Et en terroriste nudiste, par-dessus le marché.

La seule consolation de Julie Turbide était que ce geste de folie avait interrompu l'abominable chant du directeur de l'hôtel.

Federico Armando del Prado Mayor gisait dans les ruines de la scène. Il avait mal à tout son côté droit, mais surtout à la tête. Sa cape rouge lui recouvrait complètement le visage, et il peinait à respirer. Il se dit qu'il allait mourir étouffé sous l'épaisse étoffe, victime de sa vanité. Pourquoi tenait-il tant à chanter cet opéra devant cette foule de touristes ignares, qui n'en avaient cure que le livret ait été composé par son arrière-grand-oncle, Fernando Periquet y Zuaznabar? Son unique roman, *Naufrage et sauvetage*, avait bercé son enfance. Sa maman, la belle Alma, le lui avait lu maintes fois en lui répétant qu'il s'agissait de l'œuvre de *Tio* Fernando.

Soudain, il entendit des sons au-dessus de lui dans une langue qui lui était inconnue. Il pensa à du finnois. Il avait appris à l'école que cette langue ne ressemblait à aucune autre sur Terre, que ses racines étaient mystérieuses et se perdaient dans la nuit des temps.

Quelqu'un arracha la cape qui lui recouvrait le visage. Un barbu dans la cinquantaine, muni de gants chirurgicaux, apparut. Il lui semblait l'avoir déjà aperçu quelque part, mais il ne se rappelait pas où. Derrière lui, il reconnut Rhénébièbé Cabana, l'agente à destination canadienne dont la mère avait trépassé après avoir mangé du phoque cru. Cette mort absurde lui avait rappelé un fait divers lu dans le quotidien *El Pais,* plusieurs années auparavant. Ça l'avait marqué : un Canadien était mort broyé par sa souffleuse à neige alors qu'il se penchait pour dégager le cadavre d'un loup coincé dans un piège à ours. Quelque chose comme ça.

Une femme charmante, cette Rhénébièbé qu'il avait au départ mal jugée. Son fou rire hystérique au moment où le Princess Azul était menacé d'être mis en quarantaine en raison d'une épidémie d'abcès infectieux lui avait semblé peu professionnel. Il s'était questionné sur sa santé mentale. Il avait vu d'autres agentes à destination avoir des épisodes de grande fragilité émotive, souvent en raison de leur séparation avec des êtres chers. Mais le dénouement de la crise lui avait fait voir cette nouvelle agente sous un autre angle. Elle était d'une grande efficacité.

L'homme qui l'accompagnait répétait « doctor », « doctor » et semblait prendre les choses en main.

— Mon cousin, le médecin, va vous aider, Monsieur del Prado, lui dit Geneviève, très énervée.

Le robuste quinquagénaire lui fit avaler deux Advil Extra Fort, lui donna de l'eau et prit ses signes vitaux. Au même moment, une civière apparut derrière lui et on l'installa dessus. Avant qu'il soit emporté au Hospiten Bavaro, Geneviève Cabana lui caressa les cheveux et lui donna un baiser sur le front.

— C'est un de tes clients, Gen ? Le gars qui a détruit la scène à l'aide d'un tracteur est un Canadien ?

Sylvia n'en revenait toujours pas. Assise au bar en compagnie de Geneviève et d'une bonne douzaine de collègues, elle n'arrêtait pas de rire, et pas seulement parce qu'elle devait bien en être à son cinquième verre de Chardonnay. Son cerveau n'arrivait pas à enregistrer cette information saugrenue à ses yeux: un Canadien avait commis un acte terroriste!

Les rumeurs les plus folles avaient circulé au Princess Azul à la suite de l'incident. Certains avaient parlé d'un kamikaze lié à Al-Qaïda, d'autres d'un vétéran américain de la guerre d'Irak. L'homme avait déclaré à qui voulait l'entendre, au bar, la nuit précédente, qu'il se verrait bien «faire sauter la baraque», sans préciser laquelle.

On parlait aussi d'un poisson très dangereux servi au restaurant japonais, le fugu. Mais une recherche sur Internet leur avait permis de constater que le fugu ne rendait pas fou, mais tuait dans un délai de quatre à six heures lorsqu'il émettait un poison, la tétrodotoxine. Cette neurotoxine paralysait les muscles et entraînait la mort par arrêt respiratoire. Or, Stéphane Dicaire n'était ni paralysé ni décédé. «Par ailleurs, on ne sert pas de fugu au Princess Azul», avait assuré Pep Bolufer, l'ébouriffé chef catalan qui s'était joint à eux au bar.

D'autres parlaient du syndrome des tropiques, qui était à la chaleur et au soleil ce que la beauté des œuvres d'art était au syndrome de Stendhal. Ça pouvait faire perdre la tête.

Mais la réalité était tout autre.

Au département de psychiatrie du Hospiten Bavaro, les médecins avaient diagnostiqué chez Stéphane Dicaire un état psychotique passager. Ils avaient dit à Geneviève être confiants de ramener l'homme à la raison au cours des prochaines heures.

— Il répétait qu'il voulait anéantir le diable, dit Geneviève à ses collègues tout en buvant son troisième verre de

Rioja blanc. Bordel, comment peut-on prendre Federico del Prado pour le diable, je vous le demande ?

Ses collègues se regardèrent. Ce fut Sylvia qui résuma la pensée de plusieurs.

— Gen, son chant était… étrange. Déstabilisant. À la limite du supportable. Pas si étonnant que ça ait rendu ton client zinzin… On le serait devenu à moins. Heureusement que les McTavish de Liverpool n'étaient pas au spectacle ! Ils lui auraient lancé leurs bières par la tête !

Cette pensée la fit éclater de rire.

— Mais toi, Gen, t'avais vraiment l'air d'aimer ça ! dit-elle en lui faisant un clin d'œil. C'est l'opéra, ou bien le monsieur qui t'a plu le plus ?

Elle éclata à nouveau d'un rire gras.

Geneviève était mal à l'aise. Tout comme Pierre Sansregret, qui était assis à côté d'elle. Le gastroentérologue avait été, une fois de plus, d'un grand secours. Dès qu'ils avaient réalisé ce que le tracteur était en train de faire, ils avaient tous deux couru en direction de la scène détruite afin de secourir le directeur général. C'était le médecin qui, le premier, avait aperçu un bout de tissu rouge dépassant d'un amas de ruines.

Ils avaient dégagé le directeur général. Federico del Prado avait les yeux gris et était très agité. Geneviève ne voyait plus son bras gauche, et elle avait craint un instant qu'il ait été broyé ou arraché. Mais il était simplement camouflé sous un tas de bois. Le directeur général semblait avoir tous ses membres. Il avait été dégagé et mis sur une civière. Dans un geste qu'elle n'arrivait toujours pas à s'expliquer et qui la faisait rougir rien qu'à y penser, elle avait caressé les magnifiques cheveux noirs du directeur général et déposé un baiser sur son front. « J'ai agi comme une mère, c'est aussi simple que ça», se répétait-elle depuis des heures.

À l'hôpital, Geneviève avait d'abord dû calmer Julie Turbide, qui était maintenant hystérique. Heureusement, les enfants avaient été confiés à un couple québécois qui s'en occupait pour la nuit.

«Mon mari... non! Non! Non!» répétait-elle sans arrêt en tournant en rond dans la salle d'attente ultramoderne du Hospiten Bavaro. «Il était nu, Geneviève, il était nu! Mon dieu, tout le monde a vu...»

La nudité de son époux semblait plus troubler Julie Turbide que son acte de démence en tant que tel. Elle avait tout de même eu un moment d'empathie. Elle avait demandé des nouvelles du «chanteur» et du pianiste.

Les deux hommes n'avaient subi que des blessures superficielles, fort heureusement. Du moins, c'était l'information que Geneviève avait pu glaner. Le directeur général du Princess Azul allait tout de même devoir passer la nuit sous observation. Il était en état de choc.

La police de Punta Cana avait débarqué au département de psychiatrie avec ses gros sabots. Des accusations de voies de fait, de vandalisme et de destruction de biens seraient déposées contre le touriste canadien Stéphane Dicaire. Geneviève avait brièvement résumé la situation aux policiers et relaté le rendez-vous, le jour même, du suspect avec le sorcier Fritz-Aimé. «Cette rencontre s'est avérée fatidique», leur avait-elle dit. Son client avait été pris d'un moment de folie. Il avait sans doute été ensorcelé.

Les policiers avaient convenu qu'il faudrait bien élucider tout ça, mais que ça pourrait attendre au lendemain matin. Ils s'étaient donné rendez-vous au poste de police, aux alentours de dix heures.

Geneviève pensait à cette dure matinée qui l'attendait, alors qu'elle aurait dû profiter de sa demi-journée de congé pour dormir et aller à la plage.

— Comment vais-je tirer mon client de cette situation? Je me le demande, dit-elle à la petite assemblée. J'ai laissé un message au consulat.

— S'il plaide la folie, il sera libre dans moins d'une semaine, dit Pep Bolufer. Je l'ai moi-même testé…

Tous se tournèrent vers lui, incrédules.

— Pas ici, mais c'est quand j'étais au Tropical Ocean Brisas II, à Puerto Plata. Il y avait un regroupement de motards du monde entier… Un enfer. Ils se plaignaient de la nourriture. Ça m'a piqué, vous imaginez bien.

Un murmure d'approbation se fit entendre autour de la table. Tout le monde connaissait le caractère difficile du chef du Princess Azul et avait assisté, au moins une fois, à une de ses colères incontrôlables.

— J'ai sauté à la gorge d'un motard, un type d'Autriche ou d'Allemagne, je ne sais plus, qui était venu aux cuisines me demander pourquoi j'avais mis de la moutarde dans une salade de crevettes. J'ai menacé de le trancher en morceaux, de les faire griller et de les servir en shish kebab!

Tous les membres de la tablée partirent à rire.

— Je lui ai brisé quelques dents… Et vous savez ce qui a fait que la Cour a accepté mon plaidoyer de folie temporaire? dit-il en levant les bras, ce qui eut pour effet l'émanation d'une odeur fétide de transpiration mêlée à de la friture.

— Non, mais tu vas nous le dire, dit Sylvia, qui avait reculé sa chaise pour échapper au nuage putride. L'Anglaise avait déjà confié à Geneviève avoir vu des bestioles sauter dans l'abondante chevelure frisée de Pep. «Il ne se lave jamais», avait-elle assuré, «mais c'est un génie culinaire.»

— Ils m'ont dit que de menacer de faire griller la chair de ce type était en soi un geste de folie absolue. Selon eux, le gars avait déjà avoué avoir tué ou fait tuer une centaine de personnes qui nuisaient à son commerce dans sa région. Le juge m'a dit que mes jours étaient comptés et m'a souhaité bonne chance !

Là-dessus, Pep Bolufer éclata de rire, ce qui fit apparaître une rangée de dents jaunies et encroûtées.

— Ça fait déjà cinq ans de ça, et je suis toujours bien en vie !

«Ou bien il est déjà mort et en train de se putréfier, ce qui expliquerait son odeur», se dit Geneviève, qui venait de se faire agresser par un nouvel effluve pestilentiel.

— Ton gars a donc des chances de se sortir rapidement de son pétrin, lui dit Michèle. Est-ce que tu crois que l'air d'opéra du directeur général peut devenir un motif de folie ?

Geneviève regarda la Française avec étonnement.

— Et puis, la République dominicaine ne voudra pas se mettre à dos le Canada, avec tous les touristes que vous envoyez ici, dit Olessia, pragmatique. C'est un peu comme nous avec les Russes… Même s'ils sont grossiers, on les endure quand ils viennent se prélasser en Crimée. On veut pas que Poutine nous coupe le gaz.

— Ou provoque une famine, dit Pep Bolufer en éclatant de rire. Remarque que ça serait peut-être pas une mauvaise chose… Si j'ai bien compris la recette que tu décrivais dans ton conte, tout à l'heure, ça avait l'air dégueulasse !

— Tu parles du tokan ? demanda Olessia d'un air désolé.

— Je me rappelle plus le nom, mais c'était un genre de bouillie de maïs... Mon dieu, comment pouvez-vous manger pareilles atrocités? Même dans une légende, c'est un cauchemar.

Ana, la jeune agente à destination espagnole, regarda sévèrement son compatriote.

— Tu exagères, Pep. J'ai déjà goûté à un excellent bortsch... C'est ukrainien, n'est-ce pas, Olessia?

— Oui, ça peut l'être, Ana, merci pour ta question... Mais je vais d'abord répondre à cet inculte qui est assis en face de moi, dit-elle, outrée, en regardant Pep Bolufer droit dans les yeux, lui qui n'avait vraisemblablement pas l'habitude de se faire parler de la sorte. Le tokan, poursuivit-elle, est peut-être dégueulasse comme tu le dis, mais c'est un plat roumain des Carpates, pas ukrainien. Si tu avais écouté comme il faut la légende, tu aurais compris que ce sont des Roumains qui jettent le tokan sur le jeune couple...

— Oh! Désolé, princesse slave, mais disons que j'ai déjà entendu des contes plus passionnants, rétorqua Pep, qui fit mine de bâiller. Il se leva et quitta la table, au grand soulagement de tous. Les prises de bec étaient rares parmi ces expatriés vivant au Princess Azul, et elles mettaient toujours tout le monde mal à l'aise.

— Bonne nuit, bande d'*idiotas*.

— Je suis désolée pour lui, dit Ana, qui se sentait obligée d'excuser le comportement erratique du chef. Apparemment, c'est un génie, ajouta-t-elle.

— Génie ou pas, une bonne douche ne lui ferait pas de tort, dit Sylvia, ce qui fit rire toute la tablée.

Pierre Sansregret suivait difficilement la conversation, qui alternait entre l'anglais et l'espagnol. Il était près de deux heures du matin, et il commençait à se sentir fatigué.

— Je crois que je vais rentrer me coucher, prévint-il.

Il avait changé d'attitude depuis le baiser sur le front du directeur général. «Et encore plus», se dit Geneviève, «depuis que Sylvia a fait des blagues sur ce qu'elle a cru être un béguin que j'éprouverais pour del Prado». Mais en fait, son humeur était déjà différente au début de la soirée.

Elle se sentait soulagée que le gastroentérologue ne lui propose pas, une fois de plus, une marche sur la plage. Elle n'aurait trop su comment réagir. Elle ressentait une grande affection pour Pierre Sansregret, mais est-ce qu'il y avait plus que ça? Elle était confuse.

— Pierre, j'aurai quelques heures de congé demain en début d'après-midi, à moins que ça se complique sérieusement du côté de la police. Tu veux qu'on aille à la plage?

— Bien sûr, Geneviève, avec le plus grand plaisir.

Il lui donna un baiser sur le front et partit en direction de sa chambre.

Samedi

Un homme grand et mince, vêtu d'un chic complet rayé et de chaussures italiennes dernier cri, était déjà installé dans le bureau de l'inspecteur S. Gomez lorsque Geneviève arriva au poste de la police nationale. Le bâtiment de deux étages, en pierres de couleur crème, était situé sur la rue Cruce de Veron, à Bavaro.

Elle reconnut Fritz-Aimé.

— Je vous présente Rhénébièbé Canada, agente à destination responsable de Stéphane Dicaire... Madame Canada, voici Fritz-Aimé Jean-Pierre, sorcier professionnel, dit l'inspecteur S. Gomez, qui ne précisa pas son prénom. Geneviève avait le nom de Scott en tête, comme le malheureux joueur de hockey du Canadien. Mais elle reconnut que le « S » devait s'appliquer à un autre prénom plus approprié dans ce coin du monde.

— Enchanté, Monsieur Jean-Pierre, dit-elle froidement. Geneviève tenait cet individu pour responsable des malheurs de Stéphane Dicaire et, par association, de la perte de son samedi matin de congé.

— Monsieur Jean-Pierre m'a raconté quelque chose qui nous aide beaucoup dans notre enquête, dit l'inspecteur Gomez.

—Vous permettez que je le lui explique en français, inspecteur? demanda Fritz-Aimé.

—Bien sûr!

Le sorcier se tourna en direction de Geneviève. «Il a un indéniable charisme», se dit-elle tandis qu'il plongeait ses yeux noirs dans les siens.

—Il m'est arrivé quelque chose d'épouvantable... Du jamais vu dans ma pratique, Madame.... Canada? Comme le pays?

—Cabana, rectifia-t-elle. Geneviève Cabana.

—Je suis sorcier professionnel depuis plus de vingt ans, Madame. Et avant moi mon père, ma grand-mère, tous mes ancêtres. Ma famille intervenait déjà auprès des esprits lorsqu'elle vivait dans les forêts du Bénin. Aussi bien dire depuis la nuit des temps...

Geneviève l'écoutait attentivement, mais souhaitait qu'il en vienne rapidement aux faits qui les intéressaient tous.

—Je suis un professionnel, Madame, répéta-t-il. J'ai un taux de satisfaction de ma clientèle qui frise les cent pour cent. Allez voir sur mon site, vous le constaterez par vous-même.

Geneviève se garda bien de lui dire que c'était déjà fait.

—Bref, il est arrivé une chose épouvantable hier. Incroyable. Il faut dire que j'ai très mal dormi dans la nuit de jeudi à vendredi. Un de mes fils, Zorro, qui semble avoir hérité de mes dons de clairvoyance, s'est réveillé vers minuit. Des esprits coquins s'amusaient à lui chatouiller les orteils. Ce n'est pas la première fois que ça arrive, mais il m'a fallu des heures pour réussir à le rendormir. Puis, ma femme a voulu.... Enfin vous voyez ce que je veux dire, ajouta-t-il sur le ton de la confidence, elle a voulu que j'honore notre contrat nuptial... Enfin, notre fille a débarqué dans notre chambre vers cinq heures du matin, en chantant, et elle n'a jamais voulu s'arrêter. Tout ça pour dire que j'étais exténué, hier, avant même de commencer ma journée de travail. Et ce vendredi était très occupé.

Geneviève avait très hâte qu'il en arrive au cœur de l'affaire.

— Deux de mes clients étaient des francophones. J'ai décidé de les passer l'un après l'autre, c'est plus facile pour moi sur le plan de la connexion avec les esprits.

Geneviève ne voulut pas savoir pourquoi.

— Ils avaient déjà exposé leur problématique à mon assistante, et j'avais un rapport complet devant moi. Je savais qui je devais contacter. Mon autre client était un Suisse. Son problème : un chalet dont il venait d'hériter d'une vieille tante, dans les montagnes du Jura, semblait hanté. Il voyait cette tante, une dénommée Gertrude, apparaître sans arrêt, même dans ses moments... intimes. Très dérangeant, comme situation. La maison comme telle était sans intérêt, disait-il, mais le terrain était à couper le souffle. Il se demandait ce qu'il devait faire pour se débarrasser de tante Gertrude, s'il devait ou non détruire le chalet et en reconstruire un autre, ou si tout cela n'était que dans sa tête.

Avec effroi, Geneviève commençait à voir poindre le début d'une explication au comportement de Stéphane Dicaire. Mais comment cela était-il possible ?

— Vous connaissez sans doute la raison pour laquelle monsieur Dicaire voulait me consulter... Alors, imaginez-vous...

Il fit une pause et prit une grande inspiration.

— Imaginez-vous que j'ai malencontreusement inversé les deux séances...

Il se tut et ferma les yeux, puis prit une autre inspiration, encore plus profonde que la précédente, comme s'il allait révéler l'emplacement du Saint Graal. L'inspecteur Gomez en profita pour sortir se chercher un café.

—Vous en voulez? demanda-t-il à la ronde.

Geneviève acquiesça vigoureusement, mais Fritz-Aimé semblait toujours perdu dans ses pensées. Il poursuivit.

—J'ai vu le chalet... La tante y était effectivement toujours et refusait de partir. Elle était arrogante et désagréable. Elle sentait mauvais. À la limite diabolique, la bonne femme. Le client n'avait pas le choix: il devait détruire l'édifice et tout rebâtir. Repartir à neuf. C'était la seule façon de se débarrasser de la tante Gertrude. C'est donc ce que j'ai dit au client... qui n'était pas le Suisse, mais le Canadien, Stéphane Dicaire.

Il avait lancé cette information rapidement, comme pour s'en débarrasser.

—Mais il n'a pas trouvé ça complètement bidon que vous lui parliez d'un chalet à détruire, alors qu'il était là pour une question de vente d'une PME de vis? demanda Geneviève, ahurie.

—Il faut savoir, Madame, qu'à ce stade des séances, mes clients ne sont pas dans leur état... normal. Ils sont dans un genre de transe hypnotique où je les ai moi-même plongés. Ils deviennent... comment dire... comme des éponges.

Il faisait un drôle de mouvement avec ses longs doigts effilés.

Geneviève eut soudain une vision des clients de Fritz-Aimé dont la tête était en train de pivoter à trois-cent-soixante degrés, comme celle de Linda Blair dans *L'exorciste*. Elle avait été terrorisée par ce film et plusieurs autres mettant en scène des manifestations du diable, comme *La Malédiction,* où le jeune Damien trucidait sa famille, ou encore *The Shining...* Mais à quarante-huit ans, après avoir pratiqué le métier très pragmatique de psychologue, elle croyait plus ou moins aux médiums et à leurs pouvoirs de communications avec l'au-delà, si au-delà il y avait, bien sûr... Même si elle se refusait toujours de revoir *La Malédiction.*

— Vous plongez vos clients dans un état d'hypnose... et ils reviennent à eux en prenant pour des ordres ce que vous leur avez dit? demanda Geneviève, incrédule.

— Oui, dit grossièrement comme ça, c'est exact. Et la plupart en sont très satisfaits, vous savez. Jusqu'à hier, je n'ai pas eu d'incidents.

Stéphane Dicaire lui avait paru normal lorsqu'il avait réglé la note et quitté le complexe de sorcellerie. On lui avait même remis un chèque cadeau pour une prochaine visite. Puis l'autre client, le Suisse, était arrivé à son tour.

— Ne me dites pas que vous avez communiqué avec le père Dicaire? lança Geneviève.

Fritz-Aimé eut un regard étonné.

— Bien sûr que oui.

— Et que vous a-t-il dit? demanda-t-elle, sceptique.

— Il m'a dit de dire à son fils de vendre l'usine et de profiter de la vie. Un type bien. Il salue sa femme aussi...

— Mais elle est morte! s'insurgea Geneviève, qui se souvenait bien de ce que Julie Turbide lui avait dit après leur visite bidon chez Esperanza: la femme d'Arthur Dicaire était décédée près d'un quart de siècle plus tôt, écrasée par une voiture, rue Peel.

— Eh bien! Si elle est morte, le père Dicaire a une autre femme sur Terre qui, elle, est bien vivante...

Rachel Bibeau s'était levée d'excellente humeur. Ses vacances au Princess Azul avaient été les deuxièmes plus belles de sa vie, les premières ayant été son premier séjour au Princess Azul, six mois plus tôt, lorsqu'elle avait été la fiancée de Gonzalo Resurrección. Son premier retour à l'hôtel, deux mois auparavant, avait marqué ses troisièmes plus belles vacances à vie, car il y avait eu cet « incident » avec son fiancé. Une femme de chambre l'avait séduit. Le pauvre n'avait su résister. Il était faible, son beau Gonzalo.

De bien belles vacances, donc. Certes, elle avait fort peu parlé et encore moins socialisé. À vrai dire, elle n'avait eu de conversations qu'avec l'agente à destination de Tour Exotica, Geneviève.

Lorsqu'elle avait eu son jeune fils au téléphone, le matin même, il lui avait fallu plusieurs minutes pour arriver à émettre un son. Le petit avait d'abord raccroché, et Rachel avait dû le rappeler, ce qui avait malheureusement occasionné des frais supplémentaires.

Cet après-midi, elle avait rendez-vous avec Gonzalo Resurrección pour son cours de plongée en apnée. Elle était si excitée qu'elle se mit à faire des petits sauts de grenouille dans la chambre. Elle avait développé cette habitude, enfant, lorsque sa sœur Mélissa la chatouillait.

« Grande folle ! » se dit-elle en riant.

Cette rencontre serait l'apogée de ce magnifique voyage.

Rachel se dirigea vers sa valise, ouverte sur le lit, attendant d'être remplie en vue du départ. Elle en sortit un petit trousseau qu'elle avait apporté exprès pour son rendez-vous avec Gonzalo Resurrección.

Sitôt le témoignage de Fritz-Aimé dûment enregistré par la police nationale, Geneviève et le sorcier se rendirent à l'aile psychiatrique du Hospiten Bavaro.

Julie Turbide et ses enfants se trouvaient dans la salle d'attente, en compagnie de Rosie. Elle avait aidé Geneviève sur ce coup-là. C'était elle qui accompagnait la famille et servait d'interprète. Elle discutait justement avec une infirmière lorsque le duo arriva.

— Tu vois, maman, si on apprenait l'espagnol à l'école au lieu du chinois, on comprendrait un peu ce qui se passe ici.

— Rozanne, pour l'amour de Dieu, c'est pas le moment.

— Maman, pourquoi c'est si cool ici comparé à l'hôpital de Saint-Hyacinthe? demanda Éloic en syntonisant l'un des cinq cents canaux sur la télévision à écran plat de soixante-deux pouces encastrée dans le mur de la salle d'attente.

— J'avoue que c'est vraiment beau… et tellement propre, dit sa mère, en glissant un doigt sur la surface en inox immaculée qui servait de comptoir à magazines.

Geneviève lui présenta Fritz-Aimé Jean-Pierre. Julie Turbide se montra hostile, ce qui était normal vu les circonstances. Geneviève lui expliqua qu'il y avait eu un « genre de mélange dans les interventions », sans donner plus de détails.

— Fritz-Aimé est ici pour aider votre mari.

Les psychiatres n'étaient pas très chauds à cette idée. Mais ils finirent par laisser le sorcier en compagnie de Stéphane Dicaire, le temps qu'il procède à des « réajustements », comme il le disait lui-même. Le détecteur de fumée se mit cependant en action lorsque Fritz-Aimé voulut faire brûler de l'encens dans la chambre de son client.

Mais une fois ce petit incident sous contrôle, l'équipe médicale dut convenir à la suite de cette courte rencontre que le patient Stéphane Dicaire avait complètement changé d'attitude. Il semblait anéanti par ce qu'il avait fait la veille, ce qui était un pas dans la bonne direction. Il était aussi beaucoup plus calme.

Geneviève le retint d'aller rendre visite à une de ses victimes, Federico del Prado, qui se trouvait toujours à l'étage au-dessus.

— Ce n'est pas le moment, Monsieur Dicaire, mais il acceptera sans aucun doute vos excuses une fois revenu à l'hôtel.

— Quand je pense que je l'ai pris pour le diable, dit l'homme en hochant la tête.

Geneviève fit de même.

— Incroyable, en effet...

Personne n'avait cru bon de lui dire qu'il avait détruit la scène alors qu'il était complètement nu. Ce matin-là, il portait une jaquette d'hôpital un peu trop serrée pour son physique corpulent, et des chaussettes blanches.

— J'ai décidé de garder VisPro, lança-t-il tout de go à Geneviève.

— Ah bon? demanda-t-elle, à la fois surprise et inquiète. Fritz-Aimé avait-il échoué une fois de plus?

— Oui... Le sorcier a vu papa. Il veut que je vende la compagnie.

Geneviève le regarda, l'air de dire: « Et c'est pas son avis que tu voulais, justement, en venant ici? Hello! »

— Lorsque Fritz-Aimé m'a dit ça, j'ai soudain réalisé que j'avais toujours fait ce que mon père avait voulu. Je n'ai jamais été capable de lui tenir tête. Il ne suggérait pas, il ordonnait. Et il me faisait toujours sentir… comme un moins que rien. Je voulais devenir monteur de lignes chez Hydro-Québec. Quel beau métier. Toujours grimpé dans des poteaux, à admirer le monde…

Stéphane Dicaire avait le regard dans les nuages.

— Mon père veut que je vende VisPro? Et bien non, jamais! poursuivit-il en revenant sur terre. L'entreprise est en bien meilleur état que lorsqu'il l'a léguée à ses enfants. Notre père n'avait pas la moindre idée de ce qu'il faisait, il y a trente ans. De l'intuition, qu'il disait! Eh bien, ça suffit pas, l'intuition. Moi, Madame, je lis religieusement *Les Affaires* chaque semaine, je sais comment gérer ma PME.

Geneviève trouva que tout cela avait du bon sens. Même si Stéphane Dicaire avait fait un long détour pour en arriver à ce constat. Elle n'osa cependant pas lui demander s'il était au courant pour la femme terrestre de son père, celle qu'il saluait depuis l'au-delà.

Il était presque midi lorsque Fritz-Aimé et Geneviève quittèrent l'hôpital, avec le sentiment du devoir accompli.

Enfin, presque.

— Madame Geneviève, il y a quand même quelque chose qui me travaille…

— Quoi donc?

— Il y a, quelque part en Suisse, un homme qui croit devoir vendre son usine de vis à un consortium indien. Il ne sera pas en paix avec lui-même tant qu'il ne l'aura pas fait.

C'était effectivement très embêtant. Et c'était aussi la première fois que Geneviève entendait parler de consortium indien dans toute cette histoire. L'origine étrangère des acheteurs de la PME avait-elle joué un rôle dans le déchirement existentiel que Stéphane Dicaire vivait à l'idée de vendre ou non VisPro ?

Par ailleurs, Geneviève se dit qu'un vieux chalet du Jura allait continuer d'être hanté par une tante diabolique. Et quelque peu voyeuse.

Geneviève avait à peine tourné au coin de rue de l'hôpital qu'elle s'arrêta et vira de bord. Elle rentra dans le hall du Hospiten Bavaro et se dirigea vers les ascenseurs.

Au troisième et dernier étage de l'immeuble en pierres blanches immaculées, elle s'arrêta devant le comptoir des infirmières et demanda la chambre de Federico Armando del Prado Mayor. Son uniforme de Tour Exotica laissait croire à une démarche officielle.

Elle était encore terriblement mal à l'aise vis-à-vis de son geste de la veille. Caresser et embrasser le grand patron ! Certes, l'inquiétude, doublée de l'adrénaline, justifiait amplement cette poussée d'émotivité, mais tout de même. Elle voulait dissiper tout malentendu avec le directeur général de l'hôtel.

Il occupait la chambre cinq. Geneviève le trouva plus mal en point que ce à quoi elle s'attendait. Le directeur général du Princess Azul était étendu sur son lit, une jambe maintenue en l'air et un bras dans le plâtre. Il avait la tête bandée. «Malgré tout, sa beauté est intacte», se dit-elle, émue, même s'il était d'une pâleur cadavérique.

Le regard du directeur était fixé sur l'écran plat du téléviseur, qui diffusait une adaptation locale du jeu japonais où des participants devaient prendre la forme de différents objets. Au moment de l'arrivée de Geneviève, il s'agissait de devenir des pentagones.

Federico del Prado s'aperçut soudain de sa présence. Son regard se posa sur elle. Ses yeux avaient pris la même teinte verdâtre que les murs de sa chambre. Il la regarda d'un air égaré. Puis surpris. Et enfin terrorisé.

Geneviève voulut dissiper immédiatement tout ma lentendu.

— Je viens au nom du personnel du Princess Azul... Nous sommes tous désolés de ce qui vous est arrivé. Quelle horreur! Votre... L'agresseur est hospitalisé, tout comme vous... Il a... Il croyait voir une apparition, c'est une longue histoire un peu compliquée, je vous épargne les détails, car cela implique un consortium indien, un chalet dans le Jura et une usine de vis canadienne. Mais enfin, il a réalisé ce qu'il a fait...

Elle se tordait les mains et se dandinait sur place. Le visage de Federico del Prado était passé de l'état de terreur à celui d'amusement. Il souriait un peu béatement; «tout de même», se disait Geneviève, perplexe.

— L'agresseur est dévasté. Le personnel de l'hôpital le soigne... tout comme vous. Vous avez l'air... en pleine forme, ma foi.

Le directeur général eut un hoquet. Puis demanda:

— Qui êtes-vous, ma belle dame? Vous avez un accent de San Sebastian... Ou est-ce de Pamplona? Et qui est le Prince Azul? Un opéra dont j'ignore l'existence?

L'amnésie de Federico del Prado était sans aucun doute temporaire. Le médecin en chef du département de traumatologie, le docteur Hernandez Hernandez, était formel : légère commotion cérébrale entraînant une tout aussi légère perte de mémoire.

— Ça ne saurait durer... Quelques heures... quelques jours tout au plus. C'est un sacré gaillard. Mais dites-moi, j'ignorais que le directeur général de ce prestigieux hôtel était aussi un chanteur d'opéra. Comment fait-il pour assurer la gestion du Princess Azul tout en entreprenant des tournées mondiales avec l'Orchestre symphonique de Madrid ? En tout cas, il devra ralentir un peu au cours des prochaines semaines, le temps de se remettre de ses blessures. Elles sont superficielles, mais quand même...

Geneviève avait les larmes aux yeux. Elle se sentait terriblement coupable. Federico Mayor avait perdu l'esprit, et c'était de sa faute ! C'était elle qui avait envoyé ce client instable, Stéphane Dicaire, trouver un gourou qui avait pour principal fait d'armes la transformation d'un adolescent timide en don juan sans scrupules. Quand Federico del Prado retrouverait la mémoire, ce qu'elle souhaitait ardemment, il saurait qu'une fois de plus, un Canadien était à l'origine de ses malheurs.

— Et quelle voix il a, ce monsieur del Prado ! poursuivit le docteur Hernandez. Malgré ses blessures, il a chanté toute la nuit... Une des infirmières en a été incommodée, une femme très sensible au demeurant, je crois qu'il s'agit d'un début de ménopause, dit-il en lui faisant un clin d'œil entendu. Ainsi que quelques patients... Nous avons dû en transporter un à l'aile psychiatrique ! Mais sinon, quel talent !

Ça sentait la fin des vacances dans le hall du Princess Azul. D'innombrables valises étaient entassées un peu partout. Des touristes s'étaient déjà habillés en fonction de ce qui les attendait : un long vol dans l'inconfort et la climatisation.

Les clients de Tour Exotica, qui ne prenaient leur vol que tard en soirée, pouvaient profiter de leur chambre jusqu'à seize heures. Ce qui laissait un répit à Geneviève.

Elle était revenue décontenancée du Hospiten Bavaro. En traversant le corridor vers l'ascenseur, elle avait entendu Federico del Prado se mettre à chanter. Des infirmières se bouchaient les oreilles. Une patiente âgée, qui avait le haut du corps emmailloté et les deux bras plâtrés, s'était mise à sangloter. Geneviève se sentait blessée, comme s'il s'agissait d'un membre de sa famille qui s'humiliait publiquement.

Et si le directeur général restait à jamais dans cet état ? Elle ne le supporterait pas.

Dans la rue, elle avait hélé un scooter. C'était la manière la plus rapide et économique de circuler dans Bavaro. La plupart des véhicules appartenaient à de jeunes Haïtiens, qui baragouinaient pour certains le français. Occupée à ne pas être éjectée de l'engin, qui se frayait un chemin dans le dédale de rues défoncées, Geneviève avait oublié momentanément ses soucis. Mais de retour dans sa chambre, elle avait de nouveau eu le cafard.

Elle ne comprenait pas trop pourquoi. Elle se sentait mal vis-à-vis de Pierre Sansregret. Il avait été parfait avec elle, attentionné, gentil, drôle... Et tout ce qu'elle avait trouvé à faire, cela avait été d'embrasser un homme devant lui. Un homme blessé et mal en point, d'accord. Mais tout de même.

Or, elle voulait tout, sauf heurter la sensibilité du gastroentérologue.

Il ne lui avait pas laissé de message sur son cellulaire. Elle lui envoya un SMS pour lui dire qu'elle serait à la petite crique dont elle lui avait parlé en début d'après-midi. Il pourrait venir l'y rejoindre.

Elle prépara son sac, y glissa son sombre *thriller* islandais, deux magazines et une bière. Elle arrêterait se chercher un sandwich au buffet, en chemin.

En traversant la piscine du Princess Azul, Geneviève s'aperçut que quelque chose clochait. Une douzaine de femmes étaient regroupées, hors de l'eau, palmes aux pieds, masques et tubas sur le visage. Elles se préparaient vraisemblablement pour leur cours de plongée en apnée.

Gonzo Resurrección n'était pas là. Pourtant, ce n'était pas sa journée de congé.

Geneviève s'approcha. Elle reconnut une de ses clientes, Jacqueline Pierre, une femme réservée qui tenait une clinique vétérinaire dans le Vieux-Québec. «Il y a beaucoup d'animaux qui vivaient dans ce quartier ultra-touristique?» lui avait demandé Geneviève, curieuse. Elle avait alors appris que non seulement de nombreux animaux domestiques vivaient dans la partie historique de la Vieille Capitale, mais que la vétérinaire soignait aussi les chiens et les chats qui avaient été emmenés en vacances par leurs maîtres et avaient besoin de voir un spécialiste.

«Infections, intoxication alimentaire, arrêt cardiaque, allergies... On retrouve une grande variété de problèmes. J'ai même déjà eu un chien, le pauvre, qui avait reçu un coup de sabot d'un cheval de calèche. Heureusement sans gravité!»

Mais à cet instant, en bikini turquoise, un masque sur les yeux et un tuba dans la bouche, les explications de Jacqueline Pierre étaient beaucoup moins limpides. Geneviève n'en comprenait que des bribes inaudibles. Le regard de la vétérinaire en disait cependant long: ça avait l'air grave. L'agente à destination se présenta au groupe et demanda s'il y avait un problème. Les réponses fusèrent.

— Notre professeur a disparu…

— Il est parti avec une femme…

— Il a été enlevé par une femme…

— Gonzo est en danger!

Après plusieurs minutes, Geneviève put retracer le fil des événements.

Alors que le groupe était dans l'eau et que le cours venait à peine de commencer, une femme, décrite tour à tour comme ultramaigre, d'apparence maladive, lugubre, sombre, inesthétique, mal fichue, inharmonieuse, etc., bref, cette femme qui faisait partie du cours de plongée avait réussi à convaincre Gonzo Resurrección de sortir de la piscine et de la suivre dans un endroit inconnu.

— Ça fait plus d'une heure de ça, dit une femme.

— C'est une Québécoise, chuchota Jacqueline Pierre, qui avait enfin enlevé son masque et son tuba de sa bouche.

Le groupe suivant, composé majoritairement de femmes, commençait à arriver à la piscine.

Une Québécoise… inesthétique, ingrate… Rachel! Geneviève tenta de se mémoriser la plage horaire qu'elle avait réussi à lui dénicher, deux jours plus tôt. Samedi à midi trente. Oui, c'était ce groupe-là.

— Et franchement, je ne veux pas être mauvaise langue, continua Jacqueline Pierre. Mais je ne comprends pas comment un type pareil a pu suivre une femme... comme elle. Et puis une heure, c'est long longtemps, ajouta-t-elle.

Qu'est-ce qu'elle insinuait? Geneviève ne pouvait pas imaginer qu'après cette semaine passée à endurer le fait de la voir tourner autour de lui comme un requin, comme il l'avait lui-même dit, Gonzo Resurrección aurait suivi Deuxième Retour pour la... Non, ça n'était pas possible.

La responsable de la piscine, Esmeralda Santa Roque, qui revenait de son heure de lunch, s'approcha du groupe. Geneviève lui expliqua brièvement ce qui se passait.

— Gonzo a suivi une cliente? En plein cours? Ça ne lui ressemble pas, dit-elle. Il fait du repérage pour ses soirées et ses nuits, mais comme ça, en plein après-midi... Il a pourtant toujours été professionnel.

Elle envoya un message d'urgence à l'un des animateurs de la plage pour qu'il vienne momentanément prendre le relais.

Considérant la situation sous contrôle, Geneviève se dépêcha de partir pour rejoindre sa petite crique de rêve.

Pierre Sansregret était dévasté. Sa pire crainte se matérialisait. Il avait ouvert le courriel de sa sœur Isabelle, le cœur battant. Et là, affichées devant lui, il y avait ces dates et ces lieux qui confirmaient ses doutes. Et d'autres détails qu'il lui faudrait bien vérifier, bien entendu. Il gardait tout de même espoir que tout cela ne soit qu'une terrible méprise.

Pour ajouter à son désarroi, il avait reçu le courriel d'un de ses collègues, à l'hôpital. La demande pour remplacer la vieille machine à café imbuvable par une Nespresso avait été rejetée par le comité de vigilance. «Maudits hôpitaux publics!» se dit-il. Il aurait dû suivre l'exemple de son collègue, le docteur Petit, et aller pratiquer en clinique privée. Lui aussi avait reçu une offre de GastroMed Inc., cette merveilleuse clinique de Ville Mont-Royal avec ses planchers de bois francs couverts de tapis persans *circa* 1938, ses quatre machines Nespresso et ses appareils de détection dernier cri. La clientèle était riche et bien éduquée, même si cela ne le paraissait guère dans leur tube digestif, lui avait avoué le docteur Petit lors d'un cinq à sept bien arrosé. «Tous les côlons malades sont malades égaux», disait son collègue avec philosophie.

Alors qu'il jonglait intérieurement avec l'idée de se joindre à l'équipe médicale de GastroMed Inc., des scrupules avaient envahi Pierre Sansregret. Il ne se voyait pas abandonner sa clientèle de Notre-Dame.

Mais tout cela n'était rien comparé à cette bombe qui venait de lui tomber sur la tête.

Geneviève lui avait envoyé un SMS, lui indiquant qu'elle se rendait à la petite crique dont elle lui avait parlé. Il irait la rejoindre là-bas.

L'eau avait toujours eu un effet thérapeutique sur Geneviève. Elle avait dû avoir du bon temps lorsqu'elle baignait dans le liquide amniotique maternel, pensait la psy en elle. Et une eau chaude et translucide comme celle de Punta Cana réussissait à lui faire oublier cette semaine plutôt agitée. Elle ne se lassait pas de la beauté de cette crique, de sa lumière, de la végétation luxuriante.

Elle se laissait déjà flotter depuis plusieurs minutes lorsqu'elle entra en collision avec un autre baigneur. En fait, c'était une baigneuse. Mélanie Trois.

S'attendant à ce qu'elle l'ignore ou lui parle dans une langue inventée, Geneviève lui fit un petit salut et s'apprêtait à nager plus loin lorsque la femme l'interpella.

— Bonjour… On n'a pas eu l'occasion cette semaine de se présenter. Mon nom est Mélanie Patterson.

— Oui, je sais, répondit Geneviève, qui commença à pratiquer sa nage sur place. Je vous ai laissé quelques messages à votre chambre.

Elle regarda autour d'elle, s'attendant à voir apparaître sa copine Stéphanie, mais celle-ci ne semblait pas être dans les parages.

— Elle est partie… Stéphanie est partie, dit Mélanie Trois. Elle est au Playa Grand Sunset avec les autres depuis jeudi.

— Ah bon?

Geneviève ne savait pas trop si elle devait lui poser des questions. Mais Mélanie continua.

— Je vous dois quelques explications… Je sais que vous avez eu quelques problèmes avec nous deux. En fait, je croyais qu'on commençait une véritable histoire d'amour… On a eu un coup de foudre l'une pour l'autre en arrivant dans la chambre du Princess Azul, la première nuit. Je ne sais pas comment vous expliquer ça. On était très énervées, fâchées, et puis on s'est regardées et on a réalisé qu'on était totalement, follement amoureuses!

«Très surprenant, en effet», se dit intérieurement Geneviève.

Pourtant, les deux femmes étaient en couple avec des hommes, et chacune avait deux enfants. Une vie rangée en banlieue, sans trop d'histoires. Mélanie et Stéphanie se connaissaient depuis plus de vingt ans.

— Une affaire de fou... J'avais jamais ressenti ça. On voulait plus rien savoir des autres filles. Et on voulait même se marier... Ici, à Punta Cana, avant de rentrer à Montréal.

Leur idée était d'arriver à l'aéroport en robes de mariée et de faire la surprise aux autres.

— Elles auraient été obligées d'accepter notre choix. On a même été magasiner des robes.

Mais les deux filles s'étaient heurtées à une difficulté de taille : il n'y avait personne pour les marier !

— Il fallait réserver des mois à l'avance pour avoir accès à un prêtre, un fonctionnaire ou même un gourou, dit Mélanie en soupirant. Ils étaient tous *bookés* depuis longtemps. Moi, j'étais prête à prendre rendez-vous et à revenir au Princess Azul. Mais quand est venu le temps de faire le dépôt, jeudi matin, Stéphanie a complètement figé !

— C'était combien, le dépôt ? demanda Geneviève, qui se dit que peut-être la réalité de l'argent l'avait rattrapée.

— Je ne sais pas... Cinq cents dollars, je crois. Mais c'est pas ça. Tout à coup, Stéphanie s'est levée et elle a dit : « Je m'en vais au Playa Grand Sunset ! » Je lui ai dit : « Woo ! Attends avant de l'annoncer aux filles, on garde la surprise pour samedi soir, à l'aéroport, avec nos robes. » Et là, Stéphanie m'a répondu : « Non, je m'en vais rejoindre les filles parce que je viens de réaliser que c'est complètement débile, toute cette affaire-là ! »

Geneviève se dit que Stéphanie avait sans doute raison. C'était un peu précipité, tout ça. Elle commençait à avoir les jambes fatiguées de faire du surplace dans l'eau.

— Elle m'a dit qu'elle avait eu un « coup de *resort* », ce sont ses termes... comme un « coup de chaleur ». Quelque chose d'intense qui te tombe dessus, mais qui ne dure pas. La faute au soleil, à la chaleur, au Princess Azul! N'importe quoi. J'étais dévastée… Et je le suis toujours.

Geneviève ne savait trop quoi répondre.

— Est-ce que… votre mari vous attend, n'est-ce pas? Est-ce qu'il est au courant pour votre…

— Ben, on n'a pas eu le choix de le leur dire, à nos chums! Nos folles d'amies avaient ameuté tout le monde. La police, l'ambassade… On est passées à deux doigts de faire la une du *Journal de Montréal*!

— Et ils ont réagi comment?

— Je ne sais pas pour Seb, le chum de Stéphanie, elle n'a pas voulu me raconter. Mon Seb à moi, il m'a juste dit qu'on allait en parler quand je rentrerais, que c'était sans doute dû à la chaleur, au soleil… Comme si ça pouvait provoquer un coup de foudre!

— Peut-être pas un coup de foudre instantané, non, mais les vacances au soleil dans un tout-inclus, loin de chez soi, peuvent désinhiber…

— Dé quoi?

— Désinhiber… excusez-moi, Mélanie, j'utilise mon jargon de psy…

— Vous êtes psy?

— Une psy en sabbatique! Donc je voulais dire que parfois, en vacances, comme ça, on devient plus aventurier, moins timide, nos barrières tombent…

— Vous pensez que j'ai toujours aimé Stéphanie? Et que je le refoulais depuis vingt ans?

— Je ne sais pas… peut-être. En tout cas, vous verrez, de retour chez vous, dans vos affaires, si vous continuez de ressentir la même chose.

— Ça ne fait aucun doute pour moi… Mon dieu, qu'est-ce que je vais faire ?

Geneviève vit que ses doigts commençaient à se ratatiner. Il était temps de sortir de l'eau.

Au même moment, elle aperçut Pierre Sansregret, qui peinait à grimper les rochers menant à la crique.

— Vous allez trouver une solution, je n'ai pas de doute là-dessus, dit-elle en sachant fort bien qu'il s'agissait de la phrase la plus bidon de l'arsenal du psychologue moderne. Une petite question avant que je sorte de l'eau… Pourquoi avez-vous décidé de parler dans cette langue… un peu bizarre avec moi ?

— Quelle langue ? demanda Mélanie, l'air sincèrement surprise.

Geneviève la regarda, étonnée. Puis elle se dit qu'il était inutile d'insister.

— Rien, laissez tomber.

Le gastroentérologue avançait lourdement sur le sable blanc de la crique, les bras ballotant le long de son corps. Il avait l'air étourdi. Geneviève se demanda s'il avait bu. Ou s'il s'agissait de séquelles du coup qu'il avait reçu sur la tête, dans la nuit de jeudi.

— Geneviève !

Pierre Sansregret jeta son sac et sa serviette par terre, se précipita sur Geneviève et l'enlaça tendrement.

— Geneviève… Geneviève… répéta-t-il d'un air accablé.

Celle-ci se sentait mal. Elle l'avait blessé. Elle avait créé chez lui de faux espoirs. Il réalisait sa vacuité.

— Pierre… répondit-elle en lui tapotant le dos, comme on l'aurait fait avec un nouveau-né. Pierre…

— Geneviève…

Il se décolla et la prit par les épaules. En la regardant droit dans les yeux, il lâcha :

— Je suis Michel, Geneviève. Je suis le petit Michel…

Geneviève le regarda, ahurie.

— Mais non, tu n'es pas le petit Michel… Tu es Pierre. Le grand et costaud Pierre…

Elle croyait que le gastroentérologue avait perdu l'esprit. Il s'agissait de son troisième cas en deux jours. Elle était anéantie.

— Je veux dire… Tu ne comprends pas ? Tu te souviens de m'avoir parlé de ce bébé confié à tes parents ? Qui leur a été enlevé ? Je suis *ce* petit Michel…

Ce fut au tour de Geneviève d'être abasourdie. Elle n'en croyait pas ses oreilles. Comment ce gros gaillard barbu et poilu pouvait-il prétendre être le petit Michel ?

— Tu perds la tête ou quoi ? Bordel, il me semble que ma semaine a déjà été assez remplie…

Pierre lui fit signe de s'asseoir sur la serviette qu'il avait déposée dans le sable fin. Il fit de même. Puis, assis en indien, les orteils velus de ses pieds légèrement écartés, il lui raconta avoir eu un *flash,* la veille, peu après son réveil douloureux dans le studio d'Olessia. Et si… et si c'était lui, cet enfant ? Ses parents lui avaient raconté qu'ils avaient dû le placer « chez des gens » pendant quelques mois après sa naissance. Il se souvenait que c'était au nord de Montréal, dans le quartier Nouveau-Bordeaux ou Cartierville, parce qu'à chaque fois que sa mère passait par là, elle en parlait.

— L'avenue de Poutrincourt... Tu m'as parlé de l'avenue de Poutrincourt, pas vrai? Je me suis toujours rappelé de ce nom parce qu'il était bizarre.

Geneviève écoutait, abasourdie.

— Mais Pierre, tu comprends que tu n'es pas le seul garçonnet à avoir passé du temps en famille d'accueil dans Nouveau-Bordeaux, au début des années 1960?

— Le père de famille était quincaillier...

Nouveau choc pour Geneviève.

— Mais pourquoi serais-tu devenu Pierre?

— C'étaient tes parents qui avaient changé Pierre pour Michel. J'ai simplement repris mon nom en retournant dans ma famille.

— Écoute, je peux pas le croire. C'est une coïncidence.

Pierre Sansregret sortit son cellulaire.

— Ma sœur vient de m'envoyer ce courriel ce matin... Hier, je lui ai demandé de téléphoner à notre mère pour avoir plus de détails. Les dates coïncident, Geneviève. La rue, le métier de ton père, le prénom qui a été changé... Et voilà ce qu'Isabelle m'a écrit: «Demande-lui» – elle parle de toi, dit-il en levant la tête vers Geneviève –, «demande-lui si sa mère avait un grain de beauté géant entre les deux yeux.»

Son troisième œil! Geneviève, stupéfaite, revoyait le troisième œil de sa mère, sujet de douces moqueries de la part de Marcel Cabana et d'interrogations de celle ses enfants quand ils étaient petits. Pouvait-elle voir à travers ce grain de beauté? Avait-elle une vision en quatre dimensions? Pourquoi avait-il poussé là? Pouvait-elle le teindre en rouge, comme l'Indienne au dépanneur du boulevard Henri-Bourassa? Loin de la dévisager, ce grain de beauté donnait un charme supplémentaire à Claire Larochelle, une aura mystérieuse…

— Oui, maman avait un grain de beauté géant… Oh! Pierre!

— Je sais!

Le gastroentérologue lui prit la main, qu'il porta à sa joue. Il avait l'air atrocement malheureux, sans que Geneviève comprenne trop pourquoi.

— Geneviève, nous ne pourrons pas… nous ne devrions pas poursuivre cette… ce début d'histoire amoureuse. Nous sommes frère et sœur! cria-t-il presque, ce qui fit sursauter Mélanie Trois, qui passait devant eux au même moment en se rendant vers les roches et la sortie de la crique.

«Nous étions déjà de faux cousins, et voilà maintenant que nous sommes aussi de faux frère et sœur», se dit Geneviève, qui était toutefois soulagée de la tournure des événements. Elle n'aurait plus à se poser de questions sur ce qu'elle ressentait ou non pour le gastroentérologue. Il avait réglé ça d'un seul coup.

— Frère et sœur… Enfin pas tout à fait, dit-elle en riant pour détendre l'atmosphère. Pierre Sansregret semblait au bord de l'effondrement.

— Geneviève, nous avons partagé les mêmes parents, même si ça n'a pas été en même temps et l'espace de quelques années seulement… Je comprends pourquoi ça a cliqué aussi rapidement entre nous, dit-il. Nous avons respiré le même air, la même poussière, senti les mêmes odeurs… Nous avons vu les mêmes choses! La même craque dans un mur, le même trou dans le plancher… Nous sommes liés!

Le gastroentérologue s'enflammait de plus en plus.

Geneviève avait envie de lui répondre que ces affinités soudaines et intenses se développaient souvent lors d'un séjour dans le petit monde confiné d'un tout-inclus replié sur lui-même, et qu'elles s'évanouissaient la plupart du temps tout aussi rapidement, une fois tout le monde rentré chez soi.

— J'aurais tellement aimé revoir ma première mère, la tienne... Quand tu m'as répété ce qu'elle a dit, avant de mourir...

Pierre Sansregret avait les larmes aux yeux.

— Eh bien, elle serait fière de toi! lui dit Geneviève, qui n'osa pas ajouter que le peu qu'elle avait su de la mère naturelle du petit Michel c'était qu'il s'agissait, selon Claire Larochelle, d'une jeune femme immature et «sans cervelle». C'était en tout cas ce que son père lui avait dit.

— Ma seule consolation, répondit Pierre Sansregret, c'est que quoi qu'il arrive de nos... sentiments, nous serons unis pour la vie. Nous nous sommes retrouvés, ici, au Princess Azul... C'est formidable!

«Étonnant, tout de même, de retrouver quelqu'un qu'on n'a jamais réellement cherché», se dit Geneviève. Elle était aux prises avec un étrange sentiment. Le petit Michel avait fini par revêtir, à ses yeux, un aspect quasi mystique. Il était devenu une présence fantasmatique, irréelle... comme un ange. Comme si le bébé joufflu qu'elle avait vu en photo était mort. Et voilà qu'il apparaissait, soudain, dans le corps vigoureux et massif d'un barbu rigolo et bien vivant. Le docteur Pierre Sansregret.

— Et le plus drôle, c'est que me voilà avec de nouveaux neveux et nièces, dit le gastroentérologue, qui semblait avoir retrouvé le sourire. Et même un neveu polonais! Un joueur de soccer de niveau international! Quand je vais

annoncer ça à mes deux filles, elles en reviendront pas…
Est-ce qu'il sera de la prochaine coupe du monde au Brésil?

Geneviève avait promis à son faux cousin/nouveau
frère de le rejoindre à l'aéroport, le soir même, pour le
saluer une dernière fois. Elle n'aurait qu'à arriver une heure
plus tôt que d'habitude, ce qui ne lui demanderait pas tant
d'efforts que ça.

Elle s'arrêta prendre une salade et un sandwich au
buffet du restaurant. Puis, en traversant la piscine, en route
vers son studio, elle vit qu'Ernesto offrait le dernier cours
de plongée en apnée de la journée. Pas de trace de Gonzalo
Resurrección. Mais où était-il passé? Allait-elle encore se
retrouver au poste de police pour défendre un autre de ses
clients, cette fois-ci pour des accusations de séquestration
ou d'enlèvement?

— Rhénébièbé!

Quelqu'un chuchotait son nom derrière elle.

Elle se retourna et ne reconnut pas tout de suite Gonzalo
Resurrección, qui sortait de la cabine du personnel de la
piscine.

— Abuela, viens ici!

Il lui faisait signe de s'approcher.

— Gonzo? Mais qu'est-ce qui t'est arrivé?

— Entre vite!

Le don juan du Princess Azul était méconnaissable. Il
avait le crâne complètement rasé, ce qui le changeait du
tout au tout, se dit Geneviève, qui constatait à quel point

ses longs cheveux bouclés blonds constituaient quatre-vingt-dix-neuf pour cent de son charme…

Par ailleurs, il avait les ongles de ses mains et de ses pieds enduits de vernis noir.

— Tu as du dissolvant dans ta chambre?

— Euh… non, je ne le crois pas. Je me suis fait faire une fois une manucure, et c'était par les filles du centre de beauté… Va les voir, elles vont t'aider. Mais qu'est-ce qui t'est arrivé?

— Je t'expliquerai… plus tard… ou un jour. J'ai été séquestré… et torturé… Mais là, je dois m'enlever ça, dit-il en montrant ses doigts.

On avait aussi dessiné des cœurs à l'encre rouge sur ses mains, mais aussi sur ses avant-bras et son torse. «Et peut-être bien ailleurs», se dit Geneviève.

— Peux-tu aller voir Fernanda, au centre de beauté, et lui demander de venir me rejoindre ici avec son dissolvant? S'il te plaît, Rhénébièbé… Je ne peux pas sortir comme ça!

Il la regardait d'un air suppliant. Geneviève se dit que le vernis noir était un problème mineur comparé à son crâne chauve, bosselé et luisant qui lui, ne pouvait être réparé en un coup de dissolvant. Les prochaines semaines allaient être longues pour Gonzalo Resurrección. Et sans doute bien tranquilles.

Geneviève alla expliquer la situation à Fernanda, qui se précipita au secours de Gonzo. De retour à son studio, elle prit une douche, puis se mit des vêtements confortables et légers. Elle devait être au lit à vingt heures, au plus tard. Elle dormirait tout au plus cinq heures avant d'aller rejoindre le groupe qui quittait l'aéroport dans la nuit.

Elle parla avec Rosie vers dix-huit heures, pour s'assurer que tout était sous contrôle. Les clients avaient laissé leur chambre, mis leur bagage dans une suite réservée à cet effet, et il leur restait quelques heures à perdre sur le site de l'hôtel avant qu'un bus ne les emmène à l'aéroport... quatre heures à l'avance!

Les douanes de Punta Cana avaient beau être longues, c'était tout de même cruel.

Geneviève voulut *skyper* sa fille, mais Anne n'était pas à la maison. Ni Balthazar. Il lui envoyait cependant un coucou sur Facebook avec une photo d'une toile qu'il venait de débuter. Il semblait opter maintenant pour un certain réalisme. Geneviève crut y discerner un animal, un loup peut-être, dans un décor enneigé. «Il finira bien par être accepté en arts visuels à Concordia s'il poursuit dans cette veine», se dit-elle avec fierté. Il était nettement plus persévérant que son père.

Ce fut sur Facebook qu'elle tomba par ailleurs sur une photo surprenante. Elle venait d'être mise en ligne par son ex-belle-mère, Desneiges, sur sa page de fans *labonnebouffe.com.*

En belle et bonne compagnie à la Résidence du Cré- puscule bienveillant! Avec Marcel Cabana, Monique Larochelle, Mireille Portelance et Denise Brun.

«Bordel, mais qu'est-ce qu'elle fait là?» se demanda Geneviève en ouvrant la photo. Déjà quarante-cinq personnes avaient cliqué sur «J'aime».

Desneiges trônait, triomphante, au milieu d'un groupe de personnes âgées. Elle tenait dans ses mains potelées un immense plat qui contenait un ragoût de quelque chose. Elle reconnut sa tante Monique, un peu à l'écart, et à côté d'elle, son père. Marcel souriait, lui aussi, ce qui était déconcertant. Ses dents ne semblaient pas appartenir à sa bouche. «Normal, puisque ce ne sont pas les siennes», se dit Geneviève. À sa gauche, elle remarqua une pétillante brunette. En cliquant sur sa photo, elle vit apparaître le nom de Mireille Portelance. Le béguin de son père.

La nouvelle pensionnaire avait près de quatre cents amis! Son père allait avoir de la compétition. Facebook indiquait que Mireille Portelance aimait maintenant la page *labonnebouffe.com*.

Mais qu'est-ce que sa belle-mère faisait avec tante Monique au Crépuscule bienveillant?

Elle connut la réponse à cette question en ouvrant ses courriels.

«Opération charme réussie», disait le titre d'un courriel de sa tante.

Geneviève, je crois que tes petits soucis avec ton père sont derrière toi. Je suis allée ce matin à la résidence, et j'ai pensé y emmener ton ex-belle-mère, Desneiges. Tu sais que je suis une fan de son site Internet. J'en suis à ma 23e recette de son cru, et ce sont toujours des succès, sauf une, un truc au canard que j'ai raté. Je me suis dit que sa présence contribuerait à charmer le directeur. Et ça été le cas! Nous avons rencontré monsieur Lemieux en compagnie de ton père. Avant de commencer à expliquer quoi que ce soit, Desneiges a servi ses succulentes crêpes aux cerises jaunes et caramel chaud, nappées de crème fouettée de Madagascar. Monsieur Lemieux a beaucoup aimé. Il était gaga, je te dis! Il a avalé, c'est le cas de le dire, toutes les explications de ton père. Il s'est même excusé d'avoir pu douter de lui! Marcel recevra son nouveau dentier au cours de la semaine prochaine.

Toujours pas de trace de son ancien dentier, cependant. Vraiment bizarre qu'il ait disparu comme ça.

Par ailleurs, je sais que tu regardes souvent le site de Radio-Canada, et c'est pour ça que tu paniques peut-être au moment où tu lis ces lignes, mais ne t'en fais pas, ton frère s'en sortira sans trop de dommages, j'en suis certaine.

Je t'embrasse très fort,

Tante Monique

XXX

Geneviève passa de la joie et du soulagement à l'angoisse absolue en l'espace de quelques secondes. Son frère! Elle pensa aussitôt à un grave accident de la route. Puis à une tentative de meurtre à la sortie d'un bar. Mais Luc ne sortait pas beaucoup, alors de quoi s'agissait-il? D'un affaissement de sa maison? Ou plus terrible que tout, d'un drame familial? Était-il arrivé un malheur à Sylvie-Anne ou pire, à ses neveux Mathis-Olivier et Sarah-Maude?

Elle tremblait lorsqu'elle se rendit sur le site Web de Radio-Canada.

La manchette portait sur un ouragan dévastateur et un scandale impliquant un politicien. Puis, elle vit la nouvelle qui l'intéressait.

« Une manif de ramoneurs vire à l'émeute »

— Bordel...

Une photo montrait une bagarre entre des manifestants et des policiers. L'un d'entre eux était en train de se faire agresser par une pancarte que tenait un homme visiblement enragé et au tee-shirt déchiré. Son frère Luc. Elle lut la nouvelle.

Quatre personnes ont été blessées, dont deux touristes croates, et trente-trois autres arrêtées ce matin face à l'hôtel de Ville de Montréal lors d'une manifestation organisée par l'Association québécoise des ramoneurs et ramoneuses (AQRR).

L'AQRR proteste contre le projet de loi de l'administration municipale qui souhaite interdire toute nouvelle installation de cheminées fonctionnant au bois.

Le regroupement d'environ deux cents personnes a manifesté dans le calme, jusqu'à ce que le président de l'AQRR, Luc Cabana, n'allume un brasier «symbolique» contenant les effigies de plusieurs élus. Les flammes se sont malheureusement étendues à une roulotte vendant des souvenirs installée tout près du brasier. Celle-ci a été détruite en l'espace de quelques minutes. Les pompiers, accourus sur les lieux, n'ont pu que constater les dégâts. Deux touristes croates ont subi de légères blessures lorsqu'ils ont été happés par les tuyaux des pompiers. Des manifestants ont aussi été incommodés par la fumée qui s'échappait de la roulotte incendiée.

S'en est suivie une échauffourée entre les forces de l'ordre et les manifestants. Pris de court, les policiers ont dû utiliser les tuyaux d'arrosage des pompiers pour maîtriser les manifestants.

Un des manifestants a déclaré que le combat se poursuivrait tant que la Ville ne reviendrait pas sur sa décision. «Les Hommes allument des feux de bois depuis le temps des cavernes, et on n'a jamais trouvé rien à redire contre ça. Pourquoi est-ce que maintenant, ça poserait problème?» a demandé Hector Proulx, président de Monsieur Ramonage.

La Ville a émis un communiqué pour déplorer les événements violents et réitérer sa volonté d'adopter le projet de loi dans un avenir rapproché. «Les foyers au bois constituent une source de pollution inacceptable. Nous souhaitons que les jeunes Montréalais et Montréalaises grandissent dans un environnement sain et sécuritaire. La Ville veut aussi participer à l'effort mondial de réduction des émissions de gaz à effet de serre.»

Des accusations de vandalisme, de voies de fait, de destruction de lieux publics et de résistance à l'arrestation pèsent contre le président du syndicat, Luc Cabana, ainsi que contre trente-deux membres de l'AQRR.

Une vidéo accompagnait la nouvelle. Geneviève se dit qu'elle en avait assez comme ça.

Son frère était un grand garçon. Il répondrait lui-même de ses actes. Elle eut tout de même une pensée attendrie pour sa belle-sœur Sylvie-Anne. Toujours d'humeur égale, c'était une femme équilibrée, sensée et chaleureuse. Elle méritait mieux que de s'inquiéter des dérives idéologiques de son mari.

Geneviève tenta d'oublier ses tracas familiaux en s'installant sur sa petite terrasse, son *thriller* islandais dans les mains. Elle n'avait réussi qu'à lire une douzaine de pages du roman au cours de la dernière semaine. L'intrigue était pourtant excellente! À ce rythme, elle calculait qu'elle lirait tout au plus quatre-cent-vingt-neuf pages d'ici la fin de son séjour au Princess Azul, ce qui était bien peu. Il lui faudrait changer quelques habitudes.

À une heure du matin, l'alarme du téléphone de Geneviève Cabana retentit dans la nuit. Elle faillit le régler une nouvelle fois pour deux heures du matin, puis se souvint de sa promesse à Pierre Sansregret. Elle irait le saluer une dernière fois au petit aéroport de Punta Cana.

Elle avait déjà averti Rosie qu'elle partirait plus tôt à l'aéroport pour raccompagner son cousin.

Elle revêtit son uniforme bleu cobalt, son foulard tricolore, et se dirigea vers le hall de l'hôtel où elle commanda un taxi.

Chorizo avait très mal dormi dans la journée, ses maîtres jouant bruyamment aux cartes. Dalida, sa collègue qui faisait le même boulot que lui, mais de jour, avait été chaleureusement félicitée à son retour de la grande salle de l'aéroport. Elle avait reçu une portion supplémentaire de Dr Animal Holistic Farm, sa nourriture préférée.

Dans la grande salle, ses maîtres s'ennuyaient ferme. L'un d'eux était à moitié assoupi. Chorizo se dit qu'il était temps de leur montrer son savoir-faire. De nombreux ennemis se trouvaient autour de lui, et il sentait toutes sortes d'odeurs bizarres, mais pas dangereuses, malheureusement.

Soudain, ses narines détectèrent quelque chose d'inhabituel. L'odeur provenait d'un humain barbu que Chorizo jugea de grande taille. Or, plus ils étaient grands et foncés, plus ils étaient dangereux, avait-il appris. Les barbus étaient les pires.

Le suspect était accompagné d'une humaine toute de bleu vêtue, un foulard noué autour du cou. Ils discutaient avec animation. Elle semblait responsable des autres ennemis. Chorizo la connaissait bien, elle était souvent à l'aéroport.

Il s'approcha de la valise du type suspect et détecta aussitôt l'odeur familière d'explosifs et/ou de drogue, ce pourquoi il aurait droit à une ration supplémentaire de Dr Animal Holistic Farm, comme Dalida plus tôt.

Il fit ce qu'il avait à faire : agiter sa queue, japper, grogner, contracter violemment son corps.

L'effet fut immédiat : ses maîtres se jetèrent sur le barbu et le maîtrisèrent rapidement. Peut-être allait-il être mis à nu, comme un autre suspect récemment. Une image que Chorizo avait vite voulu oublier. Comment les humains pouvaient-ils vivre avec si peu de poils sur leur corps ? C'était affreux.

La valise du barbu fut transportée dans le coin habituel de la grande salle. Chorizo continuait de japper et de grogner, afin que ses maîtres restent en état d'alerte maximale.

— Chorizo, nooooooon !

Geneviève avait vu le manège du chien fou, mais trop tard. La valise du docteur Sansregret avait été transportée dans un coin de l'aéroport, là où elle avait assisté une semaine plus tôt à l'explosion de celle du couple Laverdière-Pizzelli. Pour rien. Déjà, plusieurs policiers s'affairaient autour, et l'artificier avait accouru sitôt l'alerte donnée.

De son côté, le gastroentérologue avait été conduit *manu militari* vers la salle de fouille.

Geneviève se demanda vers qui ou quoi elle devait se précipiter. La valise ou le médecin ?

— Que se passe-t-il, Geneviève ?

Cette dernière fit le saut. Elle ne s'habituait pas au nouveau « look » de Rachel, alias Deuxième Retour. Celle-ci portait un immense chapeau sur la tête, duquel tombait une cascade de cheveux blonds bouclés. Les cheveux de

Gonzalo Resurrección, de toute évidence. Ils avaient été grossièrement collés à l'intérieur du chapeau. Geneviève avait décidé de ne poser aucune question, malgré le ridicule extrême de la situation. De la même manière, elle n'avait passé aucun commentaire lorsqu'elle avait vu Mélanie Patterson vêtue d'une exubérante robe de mariée blanche immaculée, en train de s'enregistrer au comptoir.

— Je... Je dois aller aider un client. On se reverra plus tard, Rachel.

Elle opta d'abord pour la malheureuse valise du docteur Sansregret. En s'approchant, Geneviève entendit le son du détecteur d'objets suspects s'emballer. On aurait dit une scène d'opération à cœur ouvert, lorsque le pouls du patient s'accélère et provoque des sons de panique.

L'artificier extirpa de la valise ouverte un peignoir du Princess Azul, visiblement dérobé à l'hôtel. En le déroulant, une douzaine de petits savons, autant de shampoings et de bonnets de douches tombèrent par terre.

«Bordel!» se dit Geneviève.

Chorizo se déchaînait et tirait furieusement sur sa laisse.

— Vous pouvez pas le calmer, votre chien débile? demanda brutalement Geneviève, excédée.

Ça n'était pas tout: une vingtaine de rouleaux de papier hygiénique avaient été soigneusement répartis dans la valise du médecin.

«Bon, on imagine que ça n'est pas parce qu'il n'a pas les moyens de se procurer ces produits», se dit Geneviève. Elle se souvenait d'avoir lu une étude qui stipulait qu'un client sur dix volait des objets dans sa chambre d'hôtel, pour la plupart des quatre ou des cinq étoiles comme le Princess Azul. Certains allaient même jusqu'à emporter une télé ou un matelas.

Heureusement que dans le cas du docteur Sansregret, cette légère névrose s'était concentrée sur des objets sans valeur. Quoique le peignoir…

— Et c'est pour ça que Chorizo est dans tous ses états? demanda Geneviève au policier R. Ezbequiel. Vous n'avez pas pensé à la retraite pour lui? Ou à une thérapie? Il est taré!

L'agent avait l'air un peu penaud. Il ordonna à Chorizo de s'asseoir et de se calmer. Le chien se coucha en gémissant, la tête entre les pattes.

Mais ce fut alors que tout le monde se figea: l'artificier sortit d'un petit sac en toile une dizaine de seringues, des fioles contenant un liquide jaunâtre et des contenants remplis de grosses pilules blanches et vertes, ainsi que d'autres roses et noires.

Et tandis que Chorizo s'endormait, ses maîtres s'agitèrent dans tous les sens en répétant le mot «droga».

Le docteur Pierre Sansregret était à la fois furieux et très mal à l'aise. La fouille à nu avait été extrêmement pénible, réalisée par un agent qui, visiblement, ne connaissait rien à l'anatomie humaine. Il était brutal et maladroit. Si lui-même avait traité un seul de ses patients de cette manière, il aurait été radié du Collège des médecins depuis longtemps. Ou du moins, sa cote sur le site *RateMDs.com* en aurait pris un coup, elle qui se maintenait à des niveaux enviables.

Par ailleurs, l'idée qu'on fouille sa valise lui déplaisait souverainement. Il avait cette petite habitude… cette manie, voire cette névrose, comme disait son ex-femme Évelyne, d'emporter des petits souvenirs de ses séjours à l'hôtel. Le Princess Azul n'avait pas fait exception, d'autant plus qu'il avait été charmé par la douceur du papier hygiénique, ainsi que par le tissu très absorbant du peignoir.

Mais qu'en penserait Geneviève?

Il en était à ces réflexions, tout en renfilant ses chaussettes et ses souliers, lorsqu'une demi-douzaine d'agents entrèrent en trombe dans la petite pièce où il se trouvait, suivis de Geneviève, l'air visiblement excédée.

— C'est un médecin! Hello? Le docteur Pierre Sansregret est un médecin. Voilà pourquoi il traîne tout ces... ces médicaments et ces fioles avec lui...

Les explications de Geneviève aux policiers de l'aéroport de Punta Cana ne semblaient pas dissiper le terrible malentendu que l'agente voyait poindre aussi assurément que le soleil brillerait sur la côte des Caraïbes le lendemain matin.

Un des policiers avait brisé une des fioles sur le plancher. R. Ezbequiel avait tenté de réveiller Chorizo pour qu'il sente le liquide jaunâtre, mais en vain. Le chien dormait profondément et émettait même de petits ronflements.

Geneviève songea avec satisfaction qu'il s'agissait sans doute de sa dernière nuit de «garde». Il y avait des limites à l'incompétence, même canine.

— Nous allons voir ça avec votre client, Madame Cabana, lui répondit l'agent.

Lorsqu'ils firent tous irruption dans la petite pièce servant aux «interrogatoires», l'agent Ezbequiel avait déjà été prévenu que la fouille à nu n'avait donné aucun résultat.

— Pierre, montre-leur les preuves que tu es bien un médecin, lui demanda Geneviève, soulagée de le trouver avec des vêtements sur le dos.

— Je le veux bien, mais ils ont tous mes papiers.

— Où sont passés les papiers d'identification du docteur Sansregret? demanda Geneviève en se tournant vers l'agent R. Ezbequiel. Elle faisait exprès d'appeler le gastroentérologue par son titre de «docteur».

Il fallut bien cinq minutes pour retrouver les documents, qui avaient été laissés sans surveillance dans une petite salle adjacente. Pendant ce temps, les pièces à conviction avaient été étalées sur une table.

— Explique-leur que ce sont des médicaments et des seringues que j'apporte toujours avec moi en déplacement. Par précaution.

— Mais Pierre, c'est pas un peu... beaucoup pour une semaine dans un tout-inclus, non? T'es pas parti un an dans la brousse africaine, quand même!

— Je suis prudent. Et quand je suis allé à Cuba, il y a deux ans, j'avais tout laissé dans un dispensaire... Mais bon, ici, c'est différent. J'ai visité le Hospiten Bavaro et franchement, ce serait plutôt à eux de nous fournir du matériel et des médicaments.

Il la regardait, l'air contrit.

— J'ai tendance à faire des provisions, Geneviève... J'ai toujours été comme ça. Ça a sans doute rapport avec mon abandon à ma naissance. Je porte en moi ce stigmate, dit le médecin, la voix cassée.

«Bordel, y va pas se mettre à pleurer!» se dit Geneviève, paniquée. Tout signe de faiblesse du médecin serait perçu comme un aveu par les policiers.

Un des agents lut alors à haute voix le titre du docteur Pierre Sansregret à l'hôpital Notre-Dame. Le mot gastroentérologue fut traduit par Geneviève grâce à son application iPhone, puis s'ensuivit une explication complète de ses champs d'expertise. Aussitôt, un agent se prit le bas-ventre et demanda à Geneviève s'il pouvait se faire examiner par le médecin. Il avait des douleurs à cet endroit depuis deux semaines. Un autre mimait des coups de poignard à la hauteur de sa vésicule biliaire.

— Messieurs, le docteur Sansregret doit se dépêcher s'il ne veut pas rater son avion !

Pierre Sansregret avait dû se départir à regret de ses médicaments et de ses seringues. Il demanda aux policiers de les utiliser à bon escient.

— Ils vont probablement essayer de se *shooter* le liquide jaune, ce que je ne leur conseille pas. Ça ne fait pas faire de beaux voyages…

— Mais au moins, ils n'ont pas fait exploser ta valise, c'est toujours ça de pris, lui dit Geneviève.

— Je n'imaginais pas notre au revoir de cette manière, répondit le gastroentérologue.

Il fallait se dépêcher, les derniers voyageurs passaient les contrôles de sécurité. Geneviève vit Julie Turbide et ses deux enfants. Elle eut un pincement au cœur. La pauvre repartait seule vers le Québec. Il faudrait au moins une semaine, peut-être plus, pour faire libérer son mari de toutes les charges qui pesaient contre lui. Mais les nouvelles étaient bonnes pour Stéphane Dicaire : le plaidoyer de folie momentanée semblait fonctionner. « Et puis, personne n'a d'intérêt à garder un honnête homme d'affaires canadien dans une prison dominicaine », lui avait dit le consul, joint au téléphone en fin de journée.

Stéphane Dicaire avait aussi eu une autre chance : sa mésaventure n'avait pas été médiatisée. Sabrina Gomes avait bien recensé quelques *tweets* reliés à l'événement et même des photos sur Pinterest, mais cela pouvait passer pour une simple démolition liée à des rénovations, par exemple. Sabrina avait aussi cherché l'expression « homme nu » et « Princess Azul » dans une trentaine de langues, mais seuls des *tweets* en polonais étaient sortis, sans doute l'œuvre d'un membre de l'équipe de soccer des U23. Les dommages seraient donc limités, avait dit la gestionnaire de communautés de l'hôtel.

Pour Dicaire aussi. Geneviève imaginait la une que le *Journal de Montréal* aurait pu faire avec cet événement s'il en avait eu vent :

Punta Cana

Nu et ensorcelé, un entrepreneur fonce avec un tracteur sur une scène.

L'homme d'affaires de Saint-Hyacinthe croyait voir le diable. Deux blessés dans l'effondrement.

— J'espère revenir te voir très bientôt, Geneviève, lui dit Pierre Sansregret en l'enlaçant tendrement.

— Hey ! Les cousins ! Vous avez fini vos minoucheries !

Rosie venait d'arriver à l'aéroport.

Les portes se refermèrent sur le groupe de voyageurs qui repartaient pour Montréal. Quelques minutes plus tard, elles s'ouvraient sur une nouvelle cohorte. Une centaine de voyageurs hagards, visiblement épuisés et de mauvaise humeur, débarquaient à Punta Cana à trois heures du matin.

Geneviève vit dans le lot un type avec un immense sombrero mexicain. Il y avait aussi un groupe de jeunes arborant le tee-shirt d'une émission de téléréalité. Et enfin, un homme qui ressemblait à s'y méprendre au chroniqueur vedette qui avait écrit des horreurs à son sujet.

Geneviève avala de travers. Elle priait pour que ce fût un client de Rosie. Son cerveau fatigué tentait déjà de se trouver un nom d'emprunt pour la semaine. Sa collègue profita de ce moment pour lancer la même remarque qu'elle faisait à cette même heure, tous les dimanches matin.

— Eh bien voilà une autre semaine qui commence, ma belle Geneviève.

À suivre...

Georges Lafontaine:
Des cendres sur la glace
Des cendres et du feu
L'Orpheline

François Lavallée:
Dieu, c'est par où?, nouvelles
L'homme qui fuyait

Michel Legault:
Amour.com
Hochelaga, mon amour

Marais Miller:
Je le jure, nouvelles

Guillaume Morrissette:
La maison des vérités

Marc-André Moutquin:
No code

Sophie-Julie Painchaud:
Racines de faubourg, tome 1: L'envol
Racines de faubourg, tome 2: Le désordre
Racines de faubourg, tome 3: Le retour

Claudine Paquet:
Le temps d'après
Éclats de voix, nouvelles
Une toute petite vague, nouvelles
Entends-tu ce que je tais?, nouvelles

Éloi Paré:
Sonate en fou mineur

Geneviève Porter:
Les sens dessus dessous, nouvelles

Carmen Robertson:
La Fugueuse

Anne Tremblay :
Le château à Noé, tome 1 : La colère du lac
Le château à Noé, tome 2 : La chapelle du Diable
Le château à Noé, tome 3 : Les porteuses d'espoir
Le château à Noé, tome 4 : Au pied de l'oubli

Louise Tremblay-D'Essiambre :
Les années du silence, tome 1 : La Tourmente
Les années du silence, tome 2 : La Délivrance
Les années du silence, tome 3 : La Sérénité
Les années du silence, tome 4 : La Destinée
Les années du silence, tome 5 : Les Bourrasques
Les années du silence, tome 6 : L'Oasis
Entre l'eau douce et la mer
La fille de Joseph
L'infiltrateur
« Queen Size »
Boomerang
Au-delà des mots
De l'autre côté du mur
Les demoiselles du quartier, nouvelles
Les sœurs Deblois, tome 1 : Charlotte
Les sœurs Deblois, tome 2 : Émilie
Les sœurs Deblois, tome 3 : Anne
Les sœurs Deblois, tome 4 : Le demi-frère
La dernière saison, tome 1 : Jeanne
La dernière saison, tome 2 : Thomas
La dernière saison, tome 3 : Les enfants de Jeanne
Mémoires d'un quartier, tome 1 : Laura
Mémoires d'un quartier, tome 2 : Antoine
Mémoires d'un quartier, tome 3 : Évangéline
Mémoires d'un quartier, tome 4 : Bernadette
Mémoires d'un quartier, tome 5 : Adrien
Mémoires d'un quartier, tome 6 : Francine
Mémoires d'un quartier, tome 7 : Marcel
Mémoires d'un quartier, tome 8 : Laura, la suite

Mémoires d'un quartier, tome 9 : Antoine, la suite
Mémoires d'un quartier, tome 10 : Évangéline, la suite
Mémoires d'un quartier, tome 11 : Bernadette, la suite
Mémoires d'un quartier, tome 12 : Adrien, la suite
Les héritiers du fleuve, tome 1 : 1887–1893

Visitez notre site : www.saint-jeanediteur.com

MARQUIS

Québec, Canada

Achevé d'imprimer le 05 septembre 2013

RECYCLÉ
Papier fait à partir
de matériaux recyclés
FSC® C103567

Imprimé sur du papier Enviro 100% postconsommation traité sans chlore, accrédité ÉcoLogo et fait à partir de biogaz.

100%   PERMANENT   BIO GAZ